TAC税理士講座 編

2025年度版

みんなが欲しかった！

税理士

財務諸表論の教科書&問題集 1

損益会計編

TAC出版

TAC PUBLISHING Group

はじめに

近年、インターネットの普及にともない、世界の距離は凄まじいスピードで近くなりました。文化、経済、情報はもとより、会計についても国際財務報告基準（IFRS）などによりひとつになりつつあります。

その目的はただひとつ「幸福」になることです。

しかし、そのスピード感ゆえに、たった数年後の世界でさえ、その予測が困難になってきていることも事実です。このような先の読めない不確実な時代において重要なことは、「どのような状況でも対応できるだけの適応力」を身につけることです。

本書は、TACにおける30年を超える受験指導実績に基づく税理士試験の完全合格メソッドを市販化したもので、予備校におけるテキストのエッセンスを凝縮して再構築し、まさに「みんなが欲しかった」税理士の教科書ができあがりました。

膨大な学習範囲から、合格に必要な論点をピックアップしているため、本書を利用すれば、約2カ月で全範囲の基礎学習が完成します。また、初学者でも学習しやすいように随所に工夫をしていますので、日商簿記検定2級レベルからストレスなく学習を進めていただけます。

近年、税理士の活躍フィールドは、ますます広がりを見せており、税務分野だけでなく、全方位的に経営者の相談に乗る、財務面から経営支援を行うプロフェッショナルとしての役割が期待されています。

読者のみなさまが、本書を最大限に活用して税理士試験に合格し、税務のプロという立場で人生の選択肢を広げ、どのような状況にも対応できる適応力を身につけ、幸福となれますよう願っています。

TAC税理士講座
TAC出版　開発グループ

本書を使った
税理士試験の**合格法**

Step 1　学習計画を立てましょう

まずは、この Chapter にどのくらいの時間がかかるのか（①）、１日でどこまですすめればよいのか（②）、２つのナビゲーションを参考に、学習計画を立てましょう。また、Check List（③）を使ってこれから学習する内容を確認するとともに、同シリーズの簿記論とのリンク（④）を確認しましょう。簿記論と財務諸表論を並行して学習することで、理論・計算の両面から、より効果的に学習ができます。

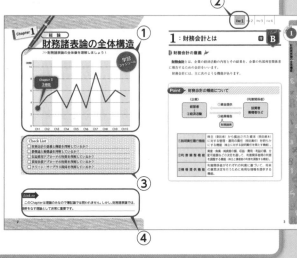

Step 2　「教科書」を読みましょう

「教科書」を読みましょう。📖は重要論点です。例題（⑤）も多く入っていますので、試験でどのような問題を解けばよいのかをイメージし、実際に電卓をたたいて解きながら読んでいくと効果的です。また、多くの受講生がつまずいてきたちょっとした疑問や論点について、ひとことコメント（⑥）と会話形式のスタディ（⑦）として、発展的論点はプラスアルファ（⑧）としてまとめてあるので、参考にしてください。

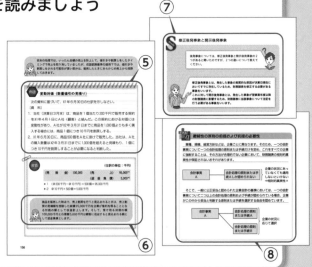

Step 3 「問題集」を解きましょう

ある程度のところまで教科書を読み進めると、問題集へのリンク（⑨）が貼ってあるので、まずは基礎（⑩）問題から確実に解いていきましょう。会計知識は本を読むだけでは身につきません。実際に手を動かして問題を解くことが、知識の吸収を早めます。解き終えたら、重要キーワードや学習のポイント（⑪）を参考に、どの程度まで理解して解けていたか、確認しましょう。

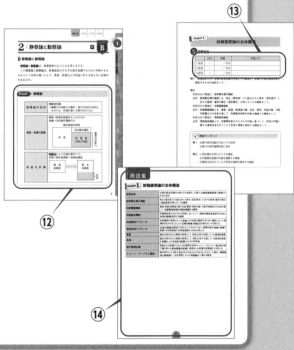

Step 4 復習しましょう

本書には、Point（⑫）を随時入れていますので、問題を解いて知識が不足しているなと感じたら、そのつど、振り返るようにしましょう。また、問題集の答案用紙にはダウンロードサービスもついていますので、これを利用して最低3回は解くようにしましょう。その際、解説についているメモ欄（⑬）を使って、正確にすばやく解けるようになっていっているかもチェックしましょう。また、巻末別冊には理論対策（⑭）がついていますので、これを活用して、定義や論証を正確に覚えておきましょう。

①おすすめ学習順

本書の学習が一通り終わったら、本試験に向けて、実践的な問題集を解いていきましょう。おすすめの学習順は、解き方学習用問題集（「財務諸表論 理論答案の書き方」「財務諸表論 計算問題の解き方」）で現役講師の実際の解き方を参考にして自分の解き方を検討・確立し、「過去問題集」で本試験問題のレベルを体感することです。

②各書籍の特徴

「財務諸表論 理論答案の書き方」は、すでに財務諸表論の基本論点を学習して内容を理解している人を対象に、本試験問題に対処するための答案を作成する技術やその際の注意点、そこに至るまでのアプローチなどを身に付けることができるようになっています。

「財務諸表論 計算問題の解き方」は、基礎・応用・本試験の計算問題を収録し、現役講師がどのように計算問題を解いているのかを実感しながら、段階的に基礎レベルから本試験問題までの演習ができるようになっています。

「過去問題集」は、直近5年分の本試験問題を収録し、かつ、最新の企業会計基準等の改正にあわせて問題・解説ともに修正を加えています。時間を計りながら実際の本試験問題を解くことで、自分の現在位置を正確に知ることができます。

論点学習

Step ⬇ Up

解き方学習

過去問演習

合格！

Level Up 問題演習と復習を繰り返しましょう

①総論

解き方学習用問題集で、どのように問題を解くのかがわかったら、さまざまな論点やパターンの問題を繰り返し解いて、得意分野の確立と苦手分野の克服に努めましょう。苦手分野の克服には、間違えた問題（論点）の復習が必須です。

②理論問題対策

本試験の理論問題は、基本的には論述形式の問題が出題されます。

「理論問題集」には「基礎編」と「応用編」があります。「理論問題集 基礎編」は、理論問題についての体系的理解と基礎力の養成を目的とした書籍です。一方、「理論問題集 応用編」は、本試験レベルの理論問題に対応するための応用力と実践力の養成を目的とした書籍です。

③計算問題対策

本試験の計算問題は、個別論点を組み合わせた総合問題形式で出題されます。

「総合計算問題集」には「基礎編」と「応用編」があります。「総合計算問題集 基礎編」は、総合問題を解くための基礎力の養成を主眼とした書籍です。一方、「総合計算問題集 応用編」は、本試験レベルの問題に対応するための答案作成能力の養成を主眼とした書籍です。

本書を利用して簿記論・財務諸表論を**効率よく学習する**ための「スタートアップ講義」を税理士独学道場「学習ステージ」ページで**無料公開中**です！

カンタンアクセスはこちらから ⇨

https://bookstore.tac-school.co.jp/dokugaku/zeirishi/stage.html

税理士試験について

みなさんがこれから合格をめざす税理士試験についてみていきましょう。
なお、詳細は、最寄りの国税局人事第二課（沖縄国税事務所は人事課）または国税審議会税理士分科会にお問い合わせ、もしくは下記ホームページをご参照ください。
https://www.nta.go.jp/taxes/zeirishi/zeirishishiken/zeirishi.htm

国税庁 ≫ 税の情報・手続・用紙 ≫ 税理士に関する情報 ≫ 税理士試験

☑概要

税理士試験の概要は次のとおりです。申込書類の入手は国税局等での受取または郵送、提出は郵送（一般書留・簡易書留・特定記録郵便）にて行います。一部手続はe-Taxでも行うことができます。また、試験は全国で行われ、受験地は受験者が任意に選択できるので、住所が東京であったとしても、那覇や札幌を選ぶこともできます。なお、下表中、受験資格については例示になります。実際の受験申込の際には、必ず受験される年の受験案内にてご確認ください。

受験資格	・会計系科目（簿記論・財務諸表論）は制限なし。 ・税法系科目は以下のとおり。 所定の学歴（大学等で社会科学に属する科目を1科目以上履修して卒業した者ほか）、資格（日商簿記検定1級合格者ほか）、職歴（税理士等の業務の補助事務に2年以上従事ほか）、認定（国税審議会より個別認定を受けた者）に該当する者。
受験料	1科目4,000円、2科目5,500円、3科目7,000円、4科目8,500円、5科目10,000円
申込方法	国税局等での受取または郵送による請求で申込書類を入手し、試験を受けようとする受験地を管轄する国税局等へ郵送で申込みをする。

☑合格までのスケジュール

税理士試験のスケジュールは次のとおりです。詳細な日程は、毎年4月頃の発表になります。

受験申込用紙の交付	4月上旬〜下旬（土、日、祝日は除く）
受験申込受付	4月下旬〜5月上旬
試験日	8月上〜中旬の3日間
合格発表	11月下旬

☑試験科目と試験時間割

　税理士試験は、全11科目のうち5科目について合格しなければなりません。5科目の選択については、下記のようなルールがあります。

	試験時間	科　目	選択のルール
1 日 目	9：00〜11：00	簿記論	会計系科目。必ず選択する必要がある。
	12：30〜14：30	財務諸表論	
	15：30〜17：30	消費税法または酒税法	税法系科目。この中から3科目を選択。ただし、所得税法または法人税法のどちらか1科目を必ず選択しなくてはならない。また、消費税法と酒税法、住民税と事業税はいずれか1科目の選択に限る。
2 日 目	9：00〜11：00	法人税法	
	12：00〜14：00	相続税法	
	15：00〜17：00	所得税法	
3 日 目	9：00〜11：00	国税徴収法	
	12：00〜14：00	固定資産税	
	15：00〜17：00	住民税または事業税	

　なお、税理士試験は科目合格制をとっており、1科目ずつ受験してもよいこととになっています。

☑合格率

　受験案内によれば合格基準点は満点の60%ですが、そもそも採点基準はオープンにされていません。税理士試験の合格率（全科目合計）は次のとおり、年によってばらつきはありますが、おおむね15%前後で推移しています。現実的には、受験者中、上位10%前後に入れば合格できる試験といえるでしょう。

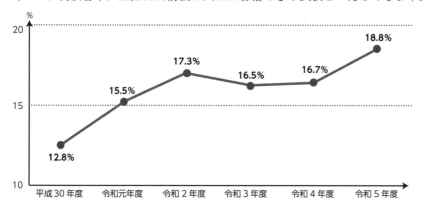

☑出題傾向と時間配分について

　税理士試験の財務諸表論は下表に示すように、3問構成です。一方、試験時間は2時間であり、全部の問題にまんべんなく手をつけるには絶対的に時間が足りません。そこで、戦略的な時間配分が必要となります。

第1問	第2問	第3問
25点（理論）	25点（理論）	50点（計算）

　では、どのように時間配分をすればよいでしょうか。ここで、配点に注目してみましょう。上記のとおり、第1問と第2問は25点、第3問が50点です。過去の出題傾向を見ると、配点が高い問題ほど解答箇所が多く設定され、点数の差がつきやすいといえます。

　したがって、1点でも多く点数を取る（合格点に近づく）ためには、配点の高い問題に多く時間をかけ、1問でも多く正答する必要があるといえます。そこで、財務諸表論は以下のような時間配分で解答するようにしてください。

第1問	第2問	第3問
20分（理論）	20分（理論）	80分（計算）

　財務諸表論は本試験の難易度にかかわらず、この時間配分をしっかりと守るようにしましょう。なぜなら、1点でも多く点数を取る（合格に近づく）には、確実に点数を取ることができる（採点基準がはっきりしている）計算問題に力を注ぐほうが、結果的に点数を積み重ねることができるからです。

　なお、計算問題に不安のある場合は、第3問に90分、第1問と第2問に15分ずつ時間をかけてもよいでしょう。それだけ、財務諸表論においては、計算問題に時間を回すことが重要なのです。

目 次

　試験合格のためには、基礎的な知識の理解のもと、網羅的な学習が必要とされます。しかし、試験範囲は幅広く、学習を効率的に進める必要もあります。目次の★マークと☆マークは過去10年の出題頻度を示すものです。効率的に学習する参考にしてください。

出題頻度（過去10年）			
計算		理論	
★★★	4回以上出題	☆☆☆	3回以上出題
★★	2～3回出題	☆☆	2回出題
★	1回出題	☆	1回出題

CHAPTER 1

財務諸表論の全体構造

ここでは、これから勉強を始める財務諸表論がどのようなものなのかについて学習していきましょう。それぞれの理論が、誰のために行われているのかというのが、理解のポイントとなります。

総　論

財務諸表論の全体構造

≫財務諸表論の全体像を理解しましょう！

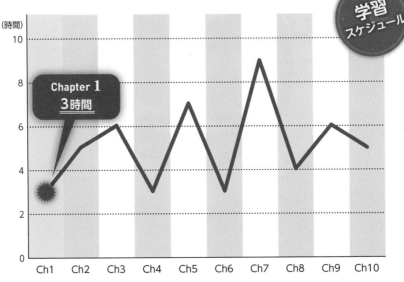

学習
スケジュール

（時間）

Chapter 1
3時間

Ch1　Ch2　Ch3　Ch4　Ch5　Ch6　Ch7　Ch8　Ch9　Ch10

Check List

☐ 財務会計の意義と機能を理解しているか？

☐ 静態論と動態論を理解しているか？

☐ 収益費用アプローチの特徴を理解しているか？

☐ 資産負債アプローチの特徴を理解しているか？

☐ クリーン・サープラス関係を理解しているか？

Link to

このChapterは理論のみなので簿記論では問われません。しかし、財務諸表論では、根幹をなす理論として非常に重要です。

1：財務会計とは 理 Rank **B**

📣 財務会計の意義 🚩

　財務会計とは、企業の経済活動の内容とその結果を、企業の外部利害関係者に報告するための会計をいいます。

　財務会計には、主に次のような機能があります。

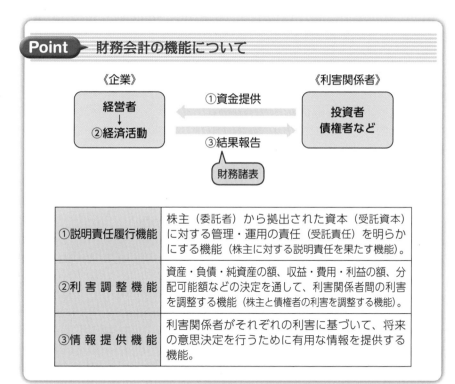

Point ▶ 財務会計の機能について

《企業》　　　　　　　　　　　　　　　　《利害関係者》

経営者 ↓ ②経済活動　　←①資金提供　　　投資者 債権者など

　　　　　　　　　　→③結果報告

財務諸表

①説明責任履行機能	株主（委託者）から拠出された資本（受託資本）に対する管理・運用の責任（受託責任）を明らかにする機能（株主に対する説明責任を果たす機能）。
②利害調整機能	資産・負債・純資産の額、収益・費用・利益の額、分配可能額などの決定を通して、利害関係者間の利害を調整する機能（株主と債権者の利害を調整する機能）。
③情報提供機能	利害関係者がそれぞれの利害に基づいて、将来の意思決定を行うために有用な情報を提供する機能。

財務会計の機能についての別見解

　前ページで①説明責任履行機能を株主に対する説明責任を果たす機能、②利害調整機能を株主と債権者の利害を調整する機能と説明しましたが、別の見解では両者をまとめて利害調整機能ととらえ、①を株主と経営者の利害調整機能、②を株主と債権者の利害調整機能と分ける考え方もあります。

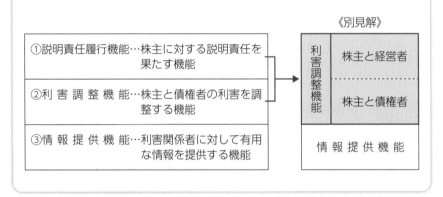

問題 >>> 問題編の**問題1**に挑戦しましょう！

4

2：静態論と動態論 理

▶ 静態論と動態論

静態論と**動態論**は、財務諸表のもととなる考え方です。

この静態論と動態論は、財務諸表はそれぞれ誰を保護するために作成するものかという目的の違いにより、資産・負債および利益に対する考え方に差異が生まれます。

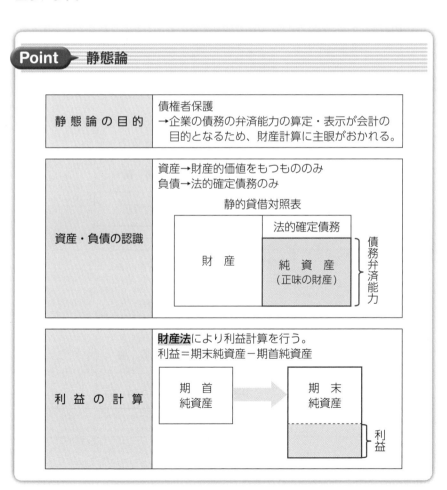

Point ▶ 静態論

静態論の目的	債権者保護 →企業の債務の弁済能力の算定・表示が会計の目的となるため、財産計算に主眼がおかれる。
資産・負債の認識	資産→財産的価値をもつもののみ 負債→法的確定債務のみ 静的貸借対照表 財産／法的確定債務／純資産（正味の財産）／債務弁済能力
利益の計算	**財産法**により利益計算を行う。 利益＝期末純資産－期首純資産 期首純資産 → 期末純資産／利益

静態論は、倒産が相次いでいた時代背景を前提としています。その当時は、債権者から直接資金調達することが主流であったため、債権者保護に主眼がおかれました。債権者がほしい情報は自身の債権が回収できるかどうかであったため、弁済能力を示すことに重きがおかれていたのです。

また、静態論では、損益計算書は作成されず、利益は純資産の計算から副次的に求められるため、企業の収益力が読みづらいという問題がありました。

Point 動態論

動 態 論 の 目 的	投資者保護 →投資意思決定に役立てるための企業の収益力の算定・表示が会計の目的となるため、損益計算に主眼がおかれる。
資産・負債の認識	資産→企業資本の運用形態 負債→(弁済義務を負う)企業資本の調達源泉 動的貸借対照表 資　産 ／ 負　債 ／ 純資産
利 益 の 計 算	**損益法**により利益計算を行う。 利益＝収益－費用 損益計算書 費　用 ／ 収　益 ／ 収益力 利　益

動態論は証券市場が発達し、株式を発行して資金調達することが主流となった時代背景を前提としています。動態論では、継続企業を前提として、期中の企業活動を複式簿記により記録し、財務諸表を作成します。投資者は、損益計算書から企業の収益力を読み取り、意思決定を行うようになりました。このため、動態論では損益計算書が重視されています。
また、動態論では損益計算書が作成されるため、利益の発生源泉が明らかになります。

問題 >>> 問題編の**問題2**に挑戦しましょう！

3：収益費用・資産負債アプローチ 理

▶ 収益費用アプローチと資産負債アプローチ 🚩

収益費用アプローチとは、利益獲得の源泉となった収益と、その収益を獲得するために犠牲になった費用を対応させることにより、企業の業績（収益力）を明らかにする考え方です。一方、**資産負債アプローチ**とは、企業の価値（純資産）を明らかにするものであり、期間利益を資産と負債の差額である純資産の当期増減額から求める考え方です。

Point ─ 収益費用アプローチ・資産負債アプローチの比較

	収益費用アプローチ	資産負債アプローチ
目 的	企業の収益力算定	企業の価値算定
重要テーマ	収益費用の認識測定	資産負債の認識測定
利 益 計 算	収益－費用	純資産の差額（資本取引は除く）

▶ 資産負債アプローチにおける資産と負債

資産負債アプローチでは企業の価値（純資産）を明らかにするため、その算出過程である資産と負債の定義が重要となります。

Point ─ 資産と負債の定義

資 産	過去の取引または事象の結果として、報告主体が支配している経済的資源
負 債	過去の取引または事象の結果として、報告主体が支配している経済的資源を放棄もしくは引き渡す義務またはその同等物

資産負債アプローチと割引現価主義

割引現価主義とは、資産または負債から生じる各期間の将来キャッシュ・フローを一定の利子率で割り引いた現在価値の総和を、資産または負債の評価額とする考え方です。

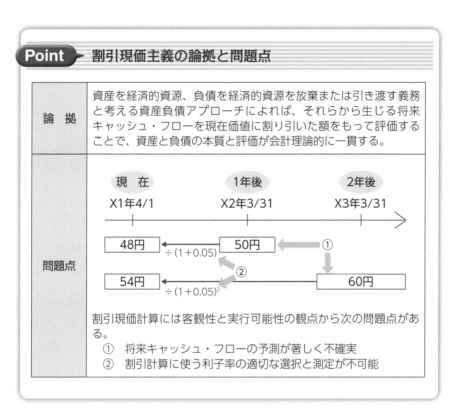

Point　割引現価主義の論拠と問題点

論　拠	資産を経済的資源、負債を経済的資源を放棄または引き渡す義務と考える資産負債アプローチによれば、それらから生じる将来キャッシュ・フローを現在価値に割り引いた額をもって評価することで、資産と負債の本質と評価が会計理論的に一貫する。
問題点	現　在　　　　　1年後　　　　　2年後 X1年4/1　　　X2年3/31　　　X3年3/31 48円 ← ÷(1+0.05) ← 50円 ← ① ② 54円 ← ÷(1+0.05)² ← 60円 割引現価計算には客観性と実行可能性の観点から次の問題点がある。 ① 将来キャッシュ・フローの予測が著しく不確実 ② 割引計算に使う利子率の適切な選択と測定が不可能

問題 ≫≫ 問題編の**問題3**に挑戦しましょう！

4：クリーン・サープラス関係 理

▶ クリーン・サープラス関係とは 🚩

クリーン・サープラス関係とは、資本取引による株主資本持分の払込みや払出しがなかった場合、期間損益と純資産の一会計期間における増減額が一致する関係をいいます。**収益費用アプローチ**では、純資産と純利益のクリーン・サープラス関係が、**資産負債アプローチ**では、純資産と包括利益のクリーン・サープラス関係が成立します。

Point ▶ **収益費用アプローチにおけるクリーン・サープラス関係**

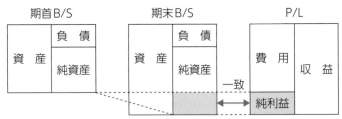

純資産と純利益のクリーン・サープラス関係が成立

資産負債アプローチにおけるクリーン・サープラス関係

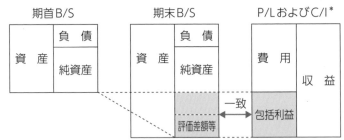

純資産と包括利益のクリーン・サープラス関係が成立

* C/I＝包括利益計算書。包括利益の概念は**Chapter3**概念フレームワークで学習します。

問題 ≫≫ 問題編の**問題4**に挑戦しましょう！

CHAPTER 2

会計公準・会計原則

　ここでは、企業会計の基本的前提である会計公準と、企業会計制度の根本を規定している企業会計原則について学びます。

　これらは、すべての論点の土台となるものなので、しっかりおさえておきましょう。

総 論

会計公準・会計原則

≫一見地味だけど、実はかなり重要です！

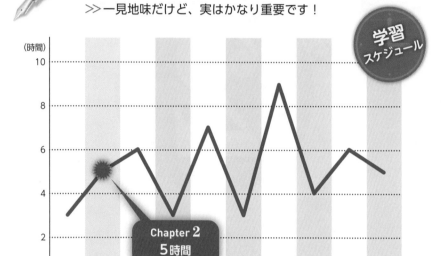

学習
スケジュール

Chapter **2**
5時間

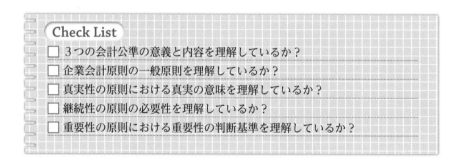

Check List
- ☐ 3つの会計公準の意義と内容を理解しているか？
- ☐ 企業会計原則の一般原則を理解しているか？
- ☐ 真実性の原則における真実の意味を理解しているか？
- ☐ 継続性の原則の必要性を理解しているか？
- ☐ 重要性の原則における重要性の判断基準を理解しているか？

Link to

このChapterは理論のみなので簿記論では問われません。しかし、財務諸表論では、根幹をなす理論として非常に重要です。

1：会計公準

理

▌会計公準とは

会計公準とは、企業会計が行われるための基本的前提をいいます。
会計公準は、一般的に次の３つの公準から成り立っています。

Point ▶ ３つの会計公準

企業実体の公準	企業を会計単位とするという前提
継続企業の公準	企業が半永久的に継続するという前提
貨幣的評価の公準	会計行為（記録、測定、伝達）のすべてが貨幣額によって行われるという前提

プラス α　会計公準の必要性

　会計公準は、演繹的（えんえき）アプローチに基づく会計原則形成の基礎構造を示す枠組みまたは命題として必要となります。
　演繹的アプローチとは、重要な規範命題を思考し、推論を加えることによって会計学のあるべき姿を体系化する方法をいいます。

▌企業実体の公準

　企業実体の公準は会計が行われる範囲を限定するものであり、企業が出資者から独立して企業に関するものだけを記録・計算するという前提のことです。

▌▶ 継続企業の公準

継続企業の公準は、一般的に企業は倒産や解散を予定して活動を行っていないため、それを裏づける証拠がない限り、事業活動がそのまま継続していくという前提のことです。

この公準のため、企業は存続期間を人為的に区切って会計の計算を行う必要があります。

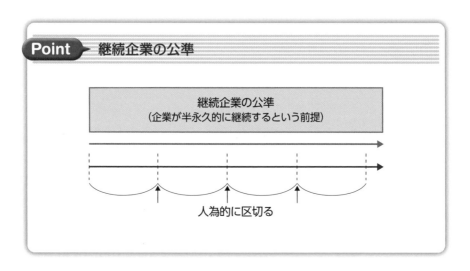

Point ▶ 継続企業の公準

継続企業の公準
（企業が半永久的に継続するという前提）

人為的に区切る

▌▶ 貨幣的評価の公準

貨幣的評価の公準は、現代では、財貨を測定する尺度として貨幣が用いられているため、貨幣を共通の尺度として用いれば、企業に属する種々雑多な財貨を統一的に記録することができるという前提のことです。

なお、財貨で評価できないものはたとえ価値のあるものでも記録することはできません。たとえば、経営者や従業員の手腕などがこれにあたります。

^{プラス}α 継続企業の前提に疑義が生じた場合

　一般に公正妥当と認められる企業会計の基準は、継続企業を前提として作成されていますが、そのことが企業の将来の事業活動の継続を保証するものではありません。そこで、企業の将来の事業活動に関するリスクの存在を開示するため、企業が将来にわたって事業を継続するとの前提（継続企業の前提）に関する注記を行うことが必要とされます。これを「継続企業の前提に関する注記」といいます。

問題 >>> 問題編の**問題1**に挑戦しましょう！

2：企業会計原則 理

企業会計原則とは

　企業会計原則は、1949年に、企業の財政状態および経営成績を把握するため、企業会計制度を統一し、国民経済の民主的で健全な発展に資することを目的に設定されました。

企業会計原則の特徴

　企業会計原則には、次の３つの特徴があります。

> **Point　企業会計原則の特徴**
>
> ・企業会計の実務の中に慣習として発達したものの中から、一般に公正妥当と認められたところを要約したものである。
> ・財務諸表監査の基礎となるものである。
> ・企業会計の諸法令の制定改廃にあたり尊重されなければならないものである。

　企業会計原則は「実務の中に慣習として発達したもの」、つまり会計慣習をそのベースとしていて、会計実務に密着した実践上のルールとして、具体的な会計処理基準としての性格をもっていることから、伝統的企業会計のよりどころとなります。

　企業会計原則は、**一般原則**、**損益計算書原則**、**貸借対照表原則**により構成され、企業会計にさまざまな要請を行っています。

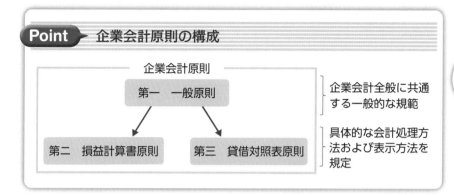

企業会計原則の制度会計における位置づけ

企業会計原則は、金融商品取引法会計の会計処理基準の一つとして位置づけられています。

会社法における会計処理基準は、原則として、会社法の計算規定および会社計算規則ですが、それらに規定のないものについては企業会計原則や「金融商品に関する会計基準」などの新会計基準を考慮することになります。

企業会計原則と新会計基準の関係

　近年においては、企業会計原則のほかに「金融商品に関する会計基準」や「退職給付に関する会計基準」など、さまざまな会計基準が数多く制定されています。これらは、企業会計原則の修正規定として位置づけられるため、新会計基準は、企業が会計を行う際には企業会計原則よりも優先して適用すべき基準とされています。

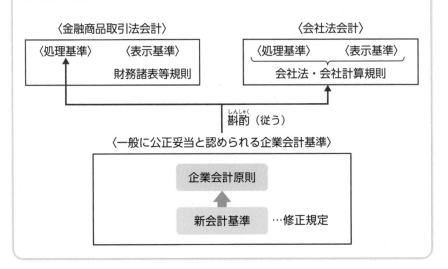

▶ 一般原則

　「第一　一般原則」では下記の７つの原則を定めており、注解に記載されている重要性の原則と合わせて、以下のような関係になっています。

Point ▶ 一般原則の全体像

```
            1　真実性の原則
       相対的に真実な報告を要請
```

　　会計処理方法を規定　　　　　　　　表示方法を規定

```
   2　正規の簿記の原則          4　明瞭性の原則
 正確な帳簿記録を要請         明瞭な表示を要請
```

```
       3　資本取引・損益取引区別の原則
          資本と利益の区別を要請
```

```
            5　継続性の原則
    会計方針（及び表示方法）の継続適用を要請
```

```
   6　保守主義の原則
 保守的な会計処理を要請
```

```
            7　単一性の原則
    実質一元（二重帳簿の禁止）・形式多元
```

```
          重要性の原則
 重要性が高い場合：特に正確な扱いを要請
 重要性が乏しい場合：簡便な扱いを容認
```
} 条文上、一般原則の区分に記載されていないが、実質的には一般原則の一つ

3：真実性の原則

 理

▍▶ 真実性の原則とは

　真実性の原則は、各原則の最高規範として位置づけられるものであり、真実な報告を行うために、この原則以下の他の一般原則ならびに下位原則である損益計算書原則および貸借対照表原則を遵守することを要請しています。

　これを遵守することにより、利害関係者へ企業の財政状態および経営成績に関する真実な報告をすることが可能となります。

企業会計原則　―般原則―

　企業会計は、企業の財政状態及び経営成績に関して、真実な報告を提供するものでなければならない。

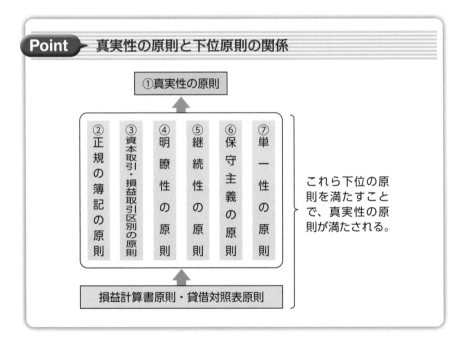

Point ▶ 真実性の原則と下位原則の関係

①真実性の原則

②正規の簿記の原則
③資本取引・損益取引区別の原則
④明瞭性の原則
⑤継続性の原則
⑥保守主義の原則
⑦単一性の原則

これら下位の原則を満たすことで、真実性の原則が満たされる。

損益計算書原則・貸借対照表原則

 上記①～⑦の原則のことをまとめて一般原則とよんでいます。

▶「真実」の意味 🚩

　真実性の原則における「真実」とは、唯一・絶対的な真実ではなく、**相対的真実**をいいます。

　これは、今日の財務諸表が、記録された事実と会計上の慣習と個人的判断の総合的表現となっているからです。

Point ▶ 記録された事実と会計上の慣習と個人的判断の総合的表現

記 録 さ れ た 事 実	財務諸表に記録される額は、すべて記録された過去の取引額を基礎とする。
会 計 上 の 慣 習	2以上の会計処理が認められていても、一般に公正妥当と認められた方法である限り、いずれも真実なものとして扱う。
個 人 的 判 断	経営者の将来に対する予測という主観的な判断が必然的に入り込まざるをえない。

会計上の慣習

```
                        定額法
取得原価  →             定率法            →   異なる金額
                        級数法

過去の取引額                                 いずれも真実
（記録された事実）        個人的判断          （相対的真実）
```

問題 ▶▶▶ 問題編の**問題2**に挑戦しましょう！

4：正規の簿記の原則

▌ 正規の簿記の原則とは

　正規の簿記の原則とは、記録・表示といった会計の形式面だけでなく、認識（いつのタイミングで計上するか）・測定（金額はいくら計上するか）といった会計の実質面（会計処理）にも関係する原則です。

　この正規の簿記の原則は、次の内容を要請しています。

> **企業会計原則　一般原則二**
> 　企業会計は、すべての取引につき、正規の簿記の原則に従って、正確な会計帳簿を作成しなければならない。

> **企業会計原則　貸借対照表原則一**
> 　貸借対照表は、企業の財政状態を明らかにするため、貸借対照表日におけるすべての資産、負債及び純資産（資本）を記載し、株主、債権者その他の利害関係者にこれを正しく表示するものでなければならない。ただし、正規の簿記の原則に従って処理された場合に生じた簿外資産及び簿外負債は、貸借対照表の記載外におくことができる。

Point　正規の簿記の原則の要請内容

・適正な会計処理
・正確な会計帳簿の作成
・誘導法による財務諸表の作成

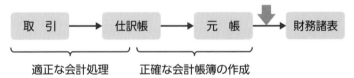

▌▶ 正確な会計帳簿の要件

　正規の簿記の原則の要請にこたえるには、会計帳簿は少なくとも次の3つの要件を満たす必要があります。

> **Point** ── 正確な会計帳簿の要件

網 羅 性	会計帳簿に記録すべき事実はすべて正しく記録されていること。
検証可能性	記録はすべて客観的に証明可能な証拠資料に基づいていること。
秩 序 性	すべての記録が、一定の法則に従って組織的・体系的に秩序正しく行われていること。

[問題] ▶▶▶ 問題編の**問題3**に挑戦しましょう！

5：資本取引・損益取引区別の原則 理

資本取引・損益取引区別の原則

　資本取引・損益取引区別の原則は、企業会計の全般に係る包括的な基本原則であり、資本と利益を明確に区別することを要請するものです。

　この資本取引・損益取引区別の原則には、2つの側面があります。

企業会計原則　一般原則三

　資本取引と損益取引とを明瞭に区別し、特に資本剰余金と利益剰余金とを混同してはならない。

企業会計原則　注解【注2】

(1)　資本剰余金は、資本取引から生じた剰余金であり、利益剰余金は損益取引から生じた剰余金、すなわち利益の留保額であるから、両者が混同されると、企業の財政状態及び経営成績が適正に示されないことになる。従って、例えば、新株発行による株式払込剰余金から新株発行費用を控除することは許されない。

Point ▶ 資本取引・損益取引区別の原則の2つの側面

資本取引・損益取引の区別	期首の自己資本そのものの増減と自己資本の利用による増減とを明確に区別すること。
資本剰余金・利益剰余金の区別	自己資本内部において、資本取引から生じた資本剰余金と損益取引から生じた利益剰余金とを明確に区別すること。

```
資本取引 ┬ 増  資
         └ 合併 etc.   ⟶  自己資本そのものの増減
                                          ↕  資本剰余金と
                                             利益剰余金の区別
損益取引 ┬ 販  売
         └ 財務 etc.   ⟶  自己資本の利用による増減
```

資本取引と損益取引を区別する必要性

　会計にとって、適正な期間利益を算定することは非常に重要な意味をもちます。

　この期間利益は、期間収益と期間費用の差額として算定されます。したがって、資本取引と損益取引を区別することで、適正な期間損益計算を行うことができます。

資本取引とは、直接、資本の増加・減少を生じさせる取引をいい、損益取引とは、資本を利用することにより、収益・費用を生じさせる取引をいいます。

資本剰余金と利益剰余金を区別する必要性

　資本剰余金は維持拘束性を特質とする資本であり、利益剰余金は処分可能性を特質とする利益です。

　この特質の異なる両者を混同すると、資本の侵食や利益の隠ぺいを招き、企業の財政状態および経営成績が歪められてしまいます。そのため、企業の財政状態および経営成績の適正な開示を行うために、資本剰余金と利益剰余金の区別が必要とされます。

　問題　>>> 問題編の**問題4**に挑戦しましょう！

CHAPTER **2**

会計公準・会計原則

6：明瞭性の原則

明瞭性の原則とは

明瞭性の原則とは、財務諸表の記載方法に関する包括的な基本原則です。いくら会計処理が正しくても、その表示が不明瞭であれば、利害関係者に正しく情報が伝達されないことにつながります。そこで明瞭性の原則では、財務諸表による会計情報の適正開示と、明瞭表示を要請しています。

> **企業会計原則　一般原則四**
> 　企業会計は、財務諸表によって、利害関係者に対し必要な会計事実を明瞭に表示し、企業の状況に関する判断を誤らせないようにしなければならない。

適正開示と明瞭表示の具体例

　明瞭性の原則が要請する適正開示と明瞭表示の具体例には、主に次のものがあります。

> **Point　適正開示と明瞭表示の具体例**
>
> ・重要な会計方針の開示
> ・重要な後発事象の開示
> ・区分表示の原則
> ・総額主義の原則
> ・科目の設定にあたって概観性を考慮する
> ・重要事項を注記によって補足する
> ・重要科目には附属明細表を作成する

重要な後発事象

重要な後発事象

| 決算日 3/31 | 主要な取引先の倒産 4/10 | 財務諸表作成日 4/30 |

意　　義	重要な後発事象とは、貸借対照表日後に発生した事象で、財務諸表提出会社の翌事業年度以降の財政状態、経営成績およびキャッシュ・フローの状況に重要な影響を及ぼすものをいう。
重要な後発事象の開示	重要な後発事象が発生したときは、当該事象を注記する。
重要な後発事象の開示理由	重要な後発事象を注記事項として開示することは、当該企業の将来の財政状態、経営成績およびキャッシュ・フローの状況を理解するための補足情報として有用であるため。
重要な後発事象の例示	・火災・出水等による重大な損害の発生 ・多額の増資または減資および多額の社債の発行または繰上償還 ・会社の合併、重要な事業の譲渡または譲受け ・重要な係争事件の発生または解決 ・主要な取引先の倒産 ・株式併合および株式分割

S 修正後発事象と開示後発事象

後発事象については、修正後発事象と開示後発事象の2つがあると聞いたのですが、2つの違いについて教えてください。

修正後発事象とは、発生した事象の実質的な原因が決算日現在においてすでに存在しているため、財務諸表を修正する必要がある事象をいいます。
これに対して開示後発事象とは、発生した事象が翌事業年度以降の財務諸表に影響するため、財務諸表に当該事象について注記を行う必要がある事象をいいます。

問題 ▶▶▶ 問題編の**問題5**に挑戦しましょう！

7：継続性の原則

理　Rank A

継続性の原則とは

継続性の原則は、一つの会計事実について選択適用が認められた会計処理の原則または手続がいくつか存在する場合、企業がいったん採用した会計処理の原則および手続を毎期継続して採用することを要請するものです。

この継続性の原則には、表示の方法に関しても毎期継続して適用することを要請するという見解もあります。

企業会計原則　一般原則五

企業会計は、その処理の原則及び手続を毎期継続して適用し、みだりにこれを変更してはならない。

企業会計原則　注解【注3】

企業会計上継続性が問題とされるのは、一つの会計事実について二つ以上の会計処理の原則又は手続の選択適用が認められている場合である。

このような場合に、企業が選択した会計処理の原則及び手続を毎期継続して適用しないときは、同一の会計事実について異なる利益額が算出されることになり、財務諸表の期間比較を困難ならしめ、この結果、企業の財務内容に関する利害関係者の判断を誤らしめることになる。

従って、いったん採用した会計処理の原則又は手続は、正当な理由により変更を行う場合を除き、財務諸表を作成する各時期を通じて継続して適用しなければならない。

なお、正当な理由によって、会計処理の原則又は手続に重要な変更を加えたときは、これを当該財務諸表に注記しなければならない。

CHAPTER 2　会計公準・会計原則

▶ 継続性の原則の必要性 🚩

　継続性の原則は、利益操作を排除し、財務諸表の期間比較性を確保するために必要となります。

Point ▶ 継続性の原則の必要性

〈第1期〉

償却方法	費　用	利　益
定額法	100	300
定率法	120	280

➡

〈第2期〉

償却方法	費　用	利　益
定額法	100	300
定率法	80	320

〈利益操作の排除の必要性〉

　継続性の原則がなければ、上記のように利益が大きくなるように会計処理を変更することができてしまいますが、そのようにして作成された財務諸表は真実なものとは認められません。

〈財務諸表の期間比較性の確保の必要性〉

　たとえ利益操作を意図していなかったとしても、異なった会計処理を採用した財務諸表は、比較可能性をもたないことになります。継続性の原則を守ることによって、財務諸表の会計期間ごとの比較が可能になり、利害関係者の意思決定に有用となります。

▶ 継続性の変更

　継続性の変更は、「**正当な理由**」がある場合に認められます。

　この「正当な理由」とは、会計処理を変更することによって、企業会計がより合理的なものになる場合をいいます。

Point 「正当な理由」

　正当な理由には、経済環境の変化などの外的理由によるものと、企業の経営方針の変更などの内的理由によるものがあります。

　具体的な処理としては、関連法令の改廃については、会計基準等の改正として取り扱い、それ以外のものは、自発的な会計方針の変更として取り扱います。

	理　由	例	取　扱　い
正当な理由による会計方針の変更 （変更することにより、より合理的になる場合）	経済環境の変化〈外的理由〉	関連法令の改廃	会計基準等の改正
		国際経済環境の変化 急激な貨幣価値の変動等	上記以外 （自発的な会計方針の変更）
	企業の経営方針の変更〈内的理由〉	取扱品目の変更 製造方法の変更 経営組織の変更等	

　＊　取扱いについては財務諸表論4で学習します。

CHAPTER **2** 会計公準・会計原則

継続性の原則の前提および前提の必要性

　業種、規模、経営方針などは、企業ごとに異なります。そのため、一つの会計事実について一つの会計処理の原則または手続だけを定め、これをすべての企業に強制することは、その方法が合理的でない企業において、財務諸表の相対的真実性が保証されないおそれがあります。

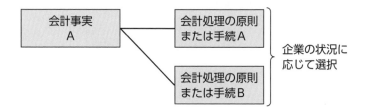

　そこで、一般に公正妥当と認められた企業会計の基準においては、一つの会計事実について二つ以上の会計処理の原則および手続が認められている場合、企業がこの中から妥当と判断する原則または手続を選択する自由を認めています。

```
                      ┌─────────────┐
      ┌─────────┐     │ 会計処理の原則 │
      │ 会計事実  │─────│ または手続A   │
      │   A     │     └─────────────┘   企業の状況に
      └─────────┘     ┌─────────────┐   応じて選択
                      │ 会計処理の原則 │
                      │ または手続B   │
                      └─────────────┘
```

 この考え方は、一般に「経理自由の原則」といわれています。

継続性の原則が問題となる場合

　企業会計上、継続性の原則が問題とされるのは、1つの会計事実について2つ以上の会計処理の原則または手続の選択適用が認められている場合です。したがって、「一般に公正妥当と認められる会計処理の原則又は手続から他の一般に公正妥当と認められた会計処理の原則又は手続に変更した場合」に継続性の原則が問題とされます。

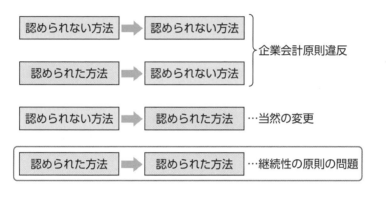

問題 ≫≫≫ 問題編の**問題6**に挑戦しましょう！

33

8 : 保守主義の原則

理

保守主義の原則とは

　保守主義の原則は、ある会計処理を行うにあたって、いくつかの判断ができる場合には、予測される将来の危険に備えて慎重な判断に基づく会計処理を行うことを要請するものです。

> **企業会計原則　一般原則六**
> 　企業の財政に不利な影響を及ぼす可能性がある場合には、これに備えて適当に健全な会計処理をしなければならない。

> **企業会計原則　注解【注4】**
> 　企業会計は、予測される将来の危険に備えて、慎重な判断に基づく会計処理を行わなければならないが、過度に保守的な会計処理を行うことにより、企業の財政状態及び経営成績の真実な報告をゆがめてはならない。

Point ▶ 保守主義の要請

　保守主義とは、予想の収益の計上を禁止し、予想の費用・損失の早期計上を要求する考え方であり、利益の過大計上となる会計処理を避け、利益を少なく計上する会計処理を要請するものです。

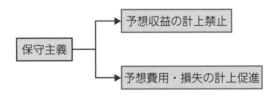

保守主義 → 予想収益の計上禁止
保守主義 → 予想費用・損失の計上促進

　保守主義の原則は、「収益は遅く少なめ」、「費用は早く多め」と理解しておきましょう。

保守主義の原則と真実性の原則との関係

　保守主義の原則とは、たとえば一般に公正妥当と認められた複数の減価償却の方法から1つの減価償却方法を選択適用する場合に、慎重な判断をすべきことを要請するものなので、真実性の原則に反するものではありません。

　しかし、恣意的に、過大に減価償却費を計上するような方法により費用の過大計上等を行い、利益の過小表示をはかること、つまり過度の保守主義は、真実性の原則の観点から認められません。

保守主義の原則の適用面と適用例

　保守主義の原則の適用には2つの側面があります。

(1)　処理選択の面で機能する保守主義

　複数の会計処理が考えられる場合、もっとも保守的な会計処理を採用することが適切と考えられますが、これは強制されるわけではありません。企業の実情に照らしてもっとも適切なものを選びます。

(2)　見積り判断の面で機能する保守主義

　たとえば、貸倒引当金を設定する場合、通常は2%などと一義的に予測されるのではなく、1〜3%という幅をもって予想されます。このような場合に、もっとも保守的な予測を採用することが促されます。

　貸倒引当金以外の具体的適用例については次のようなものがあります。

①　減価償却における定額法に対する定率法

②　引当金計上金額の見積り

問題 ▶▶▶ 問題編の**問題7**に挑戦しましょう！

9 ：単一性の原則

 理

▶ 単一性の原則とは

単一性の原則は、実質一元・形式多元を要請するものです。

実質一元・形式多元とは、目的別に財務諸表の形式が異なっていても、作成の基礎となる会計記録は単一であることをいいます。

> **企業会計原則　一般原則七**
> 株主総会提出のため、信用目的のため、租税目的のため等種々の目的のために異なる形式の財務諸表を作成する必要がある場合、それらの内容は、信頼しうる会計記録に基づいて作成されたものであって、政策の考慮のために事実の真実な表示をゆがめてはならない。

Point ▶ 実質一元と形式多元

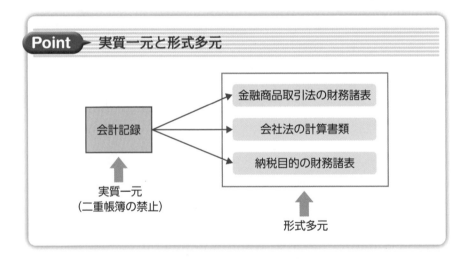

> 一般的に、企業は税務署に対しては納税額を抑えるために利益の額を小さくした決算書（納税申告書）を提出したいと考えますし、逆に投資家や金融機関に対しては利益を大きく見せた決算書（財務書類）を開示したいと考えます。仮に決算書の元となる会計帳簿が二つあれば、それぞれに異なる内容の開示を行うことが可能になります。しかしこれを認めると、適正な納税の阻害や粉飾決算等に繋がり、ひいては会計の信頼性を損ねてしまいます。そのため単一性の原則により二重帳簿は禁止されています。

問題 ▶▶▶ 問題編の**問題8**に挑戦しましょう！

10：重要性の原則

理 Rank B

重要性の原則とは

重要性の原則とは、ある項目について、その科目または金額の重要性が乏しい場合に、簡便な会計処理または表示を行うことを容認するものです。

これは、計算の経済性の観点から認められる原則です。つまり、厳密な処理を適用するために要する手数（費用）より、その結果得られる情報の有用性が小さい場合に適用が認められます。

企業会計原則　注解【注１】

企業会計は、定められた会計処理の方法に従って正確な計算を行うべきものであるが、企業会計が目的とするところは、企業の財務内容を明らかにし、企業の状況に関する利害関係者の判断を誤らせないようにすることにあるから、重要性の乏しいものについては、本来の厳密な会計処理によらないで他の簡便な方法によることも、正規の簿記の原則に従った処理として認められる。

重要性の原則は、財務諸表の表示に関しても適用される。（以下、省略）

重要性の判断基準

重要性の判断については、利害関係者の意思決定に及ぼす影響の大きさにより判断します。

簡便な処理・表示を行った結果、企業の財政状態や経営成績に対する利害関係者の判断を誤らせてしまったのでは、企業の状況に関する真実な報告を要求する真実性の原則に反することになってしまうからです。

▶ 量的重要性と質的重要性 🚩

重要性が乏しいか否かの具体的な判断としては、金額の重要性（**量的重要性**）と科目の重要性（**質的重要性**）とがあります。

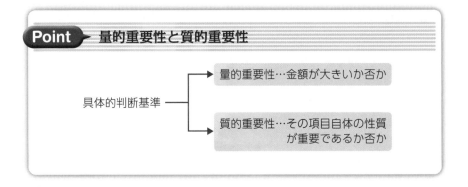

重要性の原則の適用例

- 消耗品、消耗工具器具備品その他の貯蔵品等のうち、重要性の乏しいものについては、その買入時または払出時に費用として処理する方法を採用することができます。
- 前払費用、未収収益、未払費用および前受収益のうち、重要性の乏しいものについては、経過勘定項目として処理しないことができます。
- 引当金のうち、重要性の乏しいものについては、これを計上しないことができます。
- 棚卸資産の取得原価に含められる引取費用、関税、買入事務費、移管費、保管費等の付随費用のうち、重要性の乏しいものについては、取得原価に算入しないことができます。
- 分割返済の定めのある長期の債権または債務のうち、期限が１年以内に到来するもので、重要性の乏しいものについては、固定資産または固定負債として表示することができます。
- 特別損益に属する項目であっても、金額の僅少なものまたは毎期経常的に発生するものは、経常損益計算に含めることができます。
- 法人税等の更正決定等による追徴税額および還付税額は、税引前当期純利益に加減して表示します。この場合、当期の負担に属する法人税額等とは区別することが原則ですが、重要性の乏しい場合には、当期の負担に属するものに含めて表示することができます。

問題 >>> 問題編の**問題9**に挑戦しましょう！

CHAPTER 3

概念フレームワーク

　ここでは、概念フレームワークについて学習します。概念フレームワークは非常に難解ですので、各用語の定義だけを最低限マスターすれば、ほかは後回しにしても問題ありません。

　勉強の鉄則ですが、簡単なことから理解していくよう心がけましょう！

総　論

概念フレームワーク

≫非常に難しい内容なので、後回しでも大丈夫！

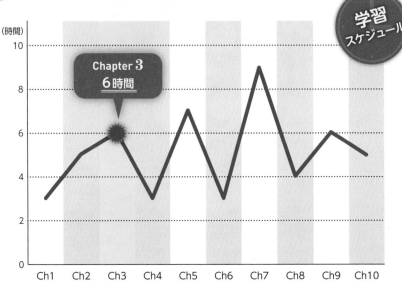

学習スケジュール

(時間)

- Chapter **3**
- **6時間**

Ch1　Ch2　Ch3　Ch4　Ch5　Ch6　Ch7　Ch8　Ch9　Ch10

Check List

- ☐ 財務報告の目的を理解しているか？
- ☐ 財務諸表の構成要素および自己創設のれんを理解しているか？
- ☐ 投資のリスクからの解放を理解しているか？
- ☐ 事業投資および金融投資を理解しているか？
- ☐ 財務諸表の構成要素の認識の契機を理解しているか？

Link to

　このChapterは理論のみなので、簿記論では問われません。しかし、財務諸表論では、根幹をなす理論として非常に重要です。

1：概念フレームワーク　理　

概念フレームワークとは

概念フレームワークとは、現行企業会計の基礎にある前提や概念を体系化したものです。

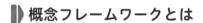

概念フレームワークには、将来の基準設定に指針を提供する役割および海外の基準設定主体とのコミュニケーションを円滑にする役割が期待されています。

Point 概念フレームワークの役割

現行企業会計の基礎にある前提や概念を要約・整理（体系化）すること

↓

将来の基準設定に指針を 提供する役割	海外の基準設定主体とのコミュニ ケーションを円滑にする役割

概念フレームワークの特徴

概念フレームワークの特徴として、まず純利益の重視があります。

Point 概念フレームワークにおける純利益重視の理由

・純利益の情報が意思決定にとって有用なものとして投資者に支持されていること。
・包括利益の情報には、純利益を超える価値が今のところ確認されていないこと。

CHAPTER **3**

概念フレームワーク

次に、概念フレームワークの特徴として、**収益費用アプローチ**と**資産負債ア**
プローチの使い分けがあります。

 概念フレームワークの基本的な立場

　収益費用アプローチか資産負債アプローチかという二項対立の構図がしばしば
登場しますが、これらはもともと両者間のバランスによって基準の体系や変化を
理解する道具であって、どちらか一方だけを適用して他を排除するものではあり
ません。

　両者が相対的なウエイトを変えながら個々の会計基準の中に並存している以
上、むしろ重要なのは、両者の使い分けを決める首尾一貫した理屈です。

　したがって、本質的な概念に照らして両者を使い分けるのが、概念フレームワー
クの基本的な立場です。

▌▶ 概念フレームワークの体系

　概念フレームワークは、先行する諸外国の概念フレームワークに準ずる形で、
次のように分類されています。

Point ▶ 概念フレームワークの体系

・「財務報告の目的」
・「会計情報の質的特性」
・「財務諸表の構成要素」　　　　「財務報告の目的」を
　　　　　　　　　　　　　　　達成するための手段を
・「財務諸表における認識と測定」　記述したもの

概念フレームワークは、企業会計の基礎となる前提や概念をまとめたもので、会計基準ではありません（分類上は「討議資料」）。一般的に、個別の事例に対して会計基準を個々に作成すると（ピースミール・アプローチ）、会計基準全体としての一貫性がなく、基準間で矛盾が生じる可能性があるため、日本で適用すべき会計基準の理論的な基礎を明確にする目的で2004年に公表されました。

しかし、その後、日本基準の策定に大きな影響を与えたのは国際会計基準であり、日本基準の理論的な一貫性よりも、国際的な比較可能性が優先されました。現在では、会計基準のコンバージェンスが進んだ結果、日本基準と国際会計基準の差異は小さくなっています。したがって、今後、日本に相応しい会計基準とはどのようなものかという議論が再び活発になり、概念フレームワークが見直されるかもしれません。

本章は、他のChapterと異なり、具体的な会計処理とは直接結びつかない、基礎理論を中心とした内容です。したがって、学習上、重要な定義は暗記してしまいましょう。

CHAPTER
3

概念フレームワーク

2：財務報告の目的

▶ 財務報告の目的 🚩

　財務報告の目的は、投資者が企業成果の予測や企業価値の評価をする際に役立つような企業の財務状況の開示、具体的には企業の投資のポジション（ストック）とその成果（フロー）を開示することです。

Point ▶ 財務報告の目的

投資者による企業成果の予測と企業価値の評価に役立つような 企業の財務状況の開示

⬇ 具体的には

投資のポジション（ストック）とその成果（フロー）の開示
貸借対照表　　　　　　　　　　　損益計算書

▶ 会計情報の副次的な利用

　会計情報には主に**情報提供機能**と**利害調整機能**の２つの機能があるとされています。概念フレームワークでは、これらを次のように位置づけています。

情報提供機能	財務報告の目的と位置づけられる。
利害調整機能	財務報告の目的である情報提供をした上での情報の副次的利用。

　ただし、会計情報が副次的な用途に利用されている事実は、会計基準を設定・改廃する際の制約となることがあり、会計基準を設定・改廃する際には、副次的な利用との関係も検討しながら、財務報告の目的の達成がはかられます。

3 ： 会計情報の質的特性　理

 会計情報の基本的な特性

　財務報告の目的は、投資者による企業成果の予測や企業評価のために、将来キャッシュ・フローの予測に役立つ情報を提供することです。そして、会計情報に求められるもっとも本質的で重要な特性は、その目的にとって有用である**意思決定有用性**です。

　この意思決定有用性は、すべての会計情報・会計基準に要求される規範として機能します。

　意思決定有用性は、意思決定目的に関連する情報である**意思決定との関連性**と、一定の水準で信頼できる情報である**信頼性**により支えられています。さらに、**内的整合性**と**比較可能性**が、それらを基礎から支える一般的制約となる特性として位置づけられています。

 意思決定有用性だけでは具体性や操作性に欠けるため、意思決定有用性を支える下位の諸特性を具体化、整理するとともに、それぞれの特性間の関係を示すことにより、意思決定有用性という規範が機能します。

概念フレームワーク

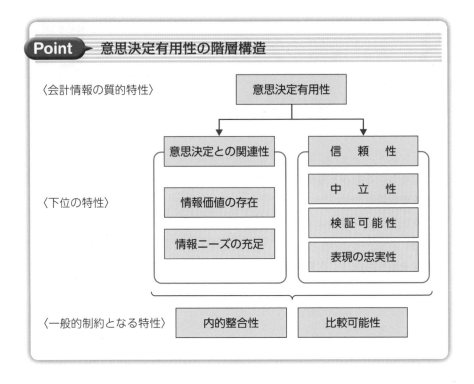

Point 意思決定有用性の階層構造

〈会計情報の質的特性〉

意思決定有用性

意思決定との関連性 / 信頼性

〈下位の特性〉

情報価値の存在
情報ニーズの充足

中　立　性
検　証　可　能　性
表現の忠実性

〈一般的制約となる特性〉 内的整合性 / 比較可能性

▌意思決定有用性

　意思決定有用性とは、投資者が企業の不確実な成果を予測するのに有用であるという特性をいいます。前述のように、この意思決定有用性は**意思決定との関連性**と**信頼性**という2つの特性に支えられています。

(1) **意思決定との関連性**

　意思決定との関連性とは、会計情報が将来の投資の成果についての予測に関連する内容を含んでおり、企業価値の推定を通じた投資者の意思決定に対して積極的な影響を与えて貢献するという特性です。

　なお、意思決定との関連性を支える特性として、**情報価値の存在**と**情報ニーズの充足**があります。

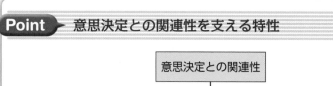

Point　意思決定との関連性を支える特性

意思決定との関連性

情報価値の存在　　　　情報ニーズの充足

情報価値の存在	情報ニーズの充足
会計情報は、その入手によって投資者の意思決定が改善されるものでなければならず、会計基準は、そのような情報価値のある会計情報を提供するものである必要がある。	会計基準の設定局面において、新たな基準に基づく会計情報の情報価値は不確かな場合も多く、そのようなケースでは、投資者による情報ニーズの存在が、情報価値の存在を期待させる。そのような期待に基づいて、情報価値の存否について事前に確たることがいえない場合であっても、投資者からの要求にこたえるために会計基準の設定・改廃が行われることもある。

CHAPTER **3**

概念フレームワーク

(2)　**信頼性**

　　信頼性とは、会計情報が信頼に足る情報であるという特性をいいます。

　　この信頼性は、**中立性**、**検証可能性**、**表現の忠実性**によって支えられています。

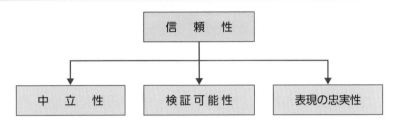

中 立 性	検証可能性	表現の忠実性
会計情報は経営者により作成されるが、経営者の利害は、投資者の利害と必ずしも一致していない。そのため、経営者の自己申告による情報を投資者が全面的に信頼するのは難しいので、利害の不一致に起因する弊害を小さく抑えるために、一部の関係者の利害だけを偏重することのない財務報告が求められる。	利益の測定では、将来事象の見積りが不可欠であるが、見積りによる測定値は、測定者によって違いが生じることがあるため、投資者は、見積りのみに基づく情報を完全に信頼することはできない。そのような事態を避けるには、測定者の主観には左右されない事実に基づく財務報告が求められる。	企業が直面した事実を会計データの形で表現しようとする際、もともと多様な事実を、少数の会計上の項目へと分類しなければならない。しかし、その分類規準に解釈の余地が残されている場合は、分類結果を信頼できない事態も起こりうる。このような事態を避けるため、事実と会計上の分類項目との明確な対応関係が求められる。

▮▶一般的制約となる特性

一般的制約となる特性として、**内的整合性**と**比較可能性**があります。

内 的 整 合 性	内的整合性は、現行基準の体系と矛盾しない個別基準を採用するよう要請するもの
比 較 可 能 性	比較可能性は、同一企業の会計情報を時系列で比較する場合、あるいは、同一時点の会計情報を企業間で比較する場合、それらの比較に障害とならないように会計情報が作成されていることを要請するもの

　内的整合性や比較可能性によって、意思決定有用性が直接的に判断されるわけではありません。しかし、これらは意思決定との関連性や信頼性が満たされているか否かを間接的に推定する際に利用されます。

　そのため、これは意思決定との関連性と信頼性の階層関係の中ではなく、階層全体を支える一般的制約となる特性として位置づけられます。

CHAPTER
3

概念フレームワーク

4：財務諸表の構成要素（貸借対照表項目）理

財務諸表の構成要素の定義方法

　財務諸表の構成要素としては、まず「**資産**」と「**負債**」が「**経済的資源**」という概念を用いて独立に定義され、そこから、「**純資産**」と「**包括利益**」の定義が導き出されています。

　また、財務報告の目的を達成するうえでの重要性という観点から、「**純利益**」にも構成要素としての定義が与えられ、これを生み出す投資の正味ストックとしての「**株主資本**」が「**純資産**」の内訳として定義されています。また、「純利益」に関連して「**収益**」と「**費用**」が定義されています。

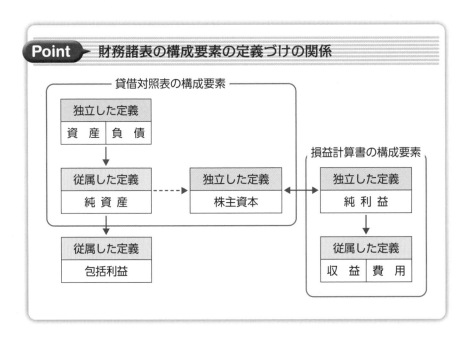

Point ▶ 財務諸表の構成要素の定義づけの関係

貸借対照表の構成要素

独立した定義
資　産　負　債

↓

従属した定義
純　資　産

独立した定義
株主資本

損益計算書の構成要素

独立した定義
純　利　益

↓

従属した定義
包括利益

従属した定義
収　益　費　用

資産・負債・純資産・株主資本の定義

概念フレームワークでは、貸借対照表の各項目を次のように定義しています。

資　　産	資産とは、過去の取引または事象の結果として、報告主体が支配している経済的資源をいう。
負　　債	負債とは、過去の取引または事象の結果として、報告主体が支配している経済的資源を放棄もしくは引き渡す義務、またはその同等物をいう。
純 資 産	純資産とは、資産と負債の差額をいう。
株 主 資 本	株主資本とは、純資産のうち報告主体の所有者である株主に帰属する部分をいう。

自己創設のれんが財務諸表の構成要素とならない理由

　自己創設のれんとは、ある企業が他企業と比較して優位性がある場合、その企業がもつ超過収益力のことをいいます。

　自己創設のれんの計上は、経営者による企業価値の自己評価・自己申告を意味するものであり、投資者が自己の責任において投資を行うのに必要な情報を提供するという財務報告の目的に反すると考えられるため、財務諸表の構成要素とはなりません。

CHAPTER
3

概念フレームワーク

繰延資産の資産性と繰延収益の負債性

繰延資産は資産の定義に該当するんですか？

繰延資産は資産の定義に該当します。
繰延資産は、収益と費用との対応という考え方に基づいて、発生費用の一部を繰り延べたものだけど、基本的に将来のキャッシュを獲得できる可能性があるから資産の定義に該当するのです。

では、繰延収益も、負債の定義に該当するのですか？

繰延収益は負債の定義に該当しません。
繰延ヘッジ損益などの繰延収益は、これまでの損益計算の観点から資産または負債として繰り延べられてきたけど、義務としての負債性はもちません。だから、負債の定義に該当せず、純資産に該当することになります。

5：財務諸表の構成要素（包括利益・純利益）理

▶ 包括利益・純利益の定義

　概念フレームワークでは、**包括利益・純利益**の各項目を以下の図のように定義づけています。

　包括利益・純利益ともに、定義は、純資産の変動と関連していますが、純利益は「リスクから解放された投資の成果」と、「報告主体の所有者に帰属」という内容が加わっており、独立した定義が与えられています。

 概念フレームワークでは、純利益こそが投資の成果として特に重要な情報であると位置づけています。

<table>
<tr><td rowspan="2">包括利益</td><td>

包括利益とは、特定期間における純資産の変動額[*1]のうち、報告主体の所有者である株主、子会社の少数株主、および将来それらになりうるオプションの所有者との直接的な取引[*2]によらない部分をいう。

　＊1　当期における、純資産の変動額を指す。
　＊2　増資による親会社持分の増加、新株予約権の発行等がある。

〈イメージ〉

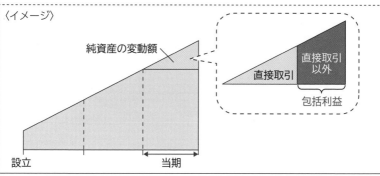

</td></tr>
</table>

	純利益とは、特定期間の期末までに生じた純資産の変動額*1（報告主体の所有者である株主、子会社の少数株主、および将来それらになりうるオプションの所有者との直接的な取引による部分を除く）のうち、その期間中*2にリスクから解放*3された投資の成果であって、報告主体の所有者に帰属する部分*4をいう。
	＊1　会社設立時から当期末までを指す。
	＊2　当期（一会計期間）を指す。
	＊3　**投資のリスクからの解放**とは、投資にあたって期待された成果が事実として確定することをいう。これは一般的には、キャッシュ・フローの裏づけが得られた時点と考えられる。
純利益	＊4　親会社株式に係る部分を指す。

〈イメージ〉

当期末までに生じた
純資産の変動額

設立　　　　当期

当期にリスクから解放
された投資の成果

純利益

親会社の
株主持分

子会社の
少数株主持分

平成25年の会計基準改正により、少数株主は非支配株主とよぶ等いくつかの変更が行われましたが、概念フレームワークの内容は変更されていないため、旧基準の名称のままとなっていることに注意してください。

事業投資と金融投資

投資はその性質から、次のように分類することができます。

	事 業 投 資	金 融 投 資
意　　義	事業投資は、売却することに事業遂行上の制約があり、企業が事業の遂行を通じて成果を得ることを目的とした投資である。	金融投資は、売却することに事業遂行上の制約がなく、公正価値（時価）の変動によって利益を獲得することを目的とした投資である。
具 体 例	金融資産： ・満期保有目的の債券 ・子会社株式および関連会社株式 事業用資産： ・通常の販売目的で保有する棚卸資産	金融資産： ・売買目的有価証券 ・デリバティブ取引により生じる正味の債権 事業用資産： ・トレーディング目的で保有する棚卸資産
リスクからの解　　放	事業のリスクに拘束されない独立の資産を獲得したとみなすことができる事実をもってリスクから解放されたものとする。	事業の目的に拘束されず、保有資産の値上りを期待した金融投資に生じる価値の変動事実をもってリスクから解放されたものとする。
資産の評価	事業投資は、キャッシュ・フローの獲得に基づいて損益認識を行うため、取得原価により評価される。	金融投資は、時価の変動に基づいて損益認識を行うため、時価により評価される。

CHAPTER
3

概念フレームワーク

「投資のリスクからの解放」と類似のものとして、「実現」と「実現可能」という伝統的な概念があります。

実　現	もっとも狭義に解した「実現した成果」は、売却という事実に裏づけられた成果、すなわち非貨幣性資産の貨幣性資産への転換という事実に裏づけられた成果として意味づけられることが多く、この意味での「実現した成果」は、概念フレームワークでいう「リスクから解放された投資の成果」に含まれる。 ただし、投資のリスクからの解放は、いわゆる換金可能性や処分可能性のみで判断されるものではない。
実現可能	「実現可能な成果」は、現金またはその同等物への転換が容易である成果（あるいは容易になった成果）として意味づけられることが多く、この意味での「実現可能な成果」の中には、「リスクから解放された投資の成果」に該当しないものも含まれている。

　このように「実現」という用語が多義的に用いられていること、およびそのいずれか１つの意義では、さまざまな実態や本質を有する投資について、純利益および収益・費用の認識の全体を説明するものではないことから、概念フレームワークでは、これらを包摂的に説明する用語として「投資のリスクからの解放」という表現を用いています。

 収益に関しては、収益認識基準に基づいて認識することになったため、企業会計原則で定められていた「実現」という伝統的な概念は、現行制度上の位置づけが不明確な状態になっています。したがって、当面は出題されにくいと思われます。

6：財務諸表の構成要素（収益・費用）理

▶ 収益・費用の定義

概念フレームワークでは、収益・費用を次のように定義づけています。

収　益	収益とは、純利益または少数株主損益を増加させる項目であり、特定期間の期末までに生じた資産の増加や負債の減少に見合う額のうち、投資のリスクから解放された部分である。
費　用	費用とは、純利益または少数株主損益を減少させる項目であり、特定期間の期末までに生じた資産の減少や負債の増加に見合う額のうち、投資のリスクから解放された部分である。

7：財務諸表における認識と測定 理

▶ 財務諸表の構成要素が認識される契機

　財務諸表の構成要素の定義を満たした項目の認識は、基礎となる契約の原則として少なくとも一方の履行が契機となります。よって、双務契約で双方が未履行の段階にとどまるものは、原則として財務諸表上で認識しません。

ただし、金融商品における契約の一部（売買目的有価証券など）は、市場を通して随時売却できるため、その価格変動そのものがリスクから解放された投資の成果とみなされる場合には、その変動額を未履行の段階で認識できる場合もあります。

▶ 認識に求められる蓋然性

　財務諸表の構成要素の定義を満たした項目が、財務諸表上で認識対象となるには、認識の契機が生じることに加え一定程度の発生の可能性（蓋然性）が求められます。

蓋然性とは、一定程度の発生可能性（確率）があることです。「蓋然性が高い」という言い回しは、比較的可能性が高い場合に使います。
類語を確率が低いものから順に並べると、可能性＜蓋然性＜必然性となります。

▶ 資産・負債の測定

　概念フレームワークでは、資産や負債の測定について、画一的な概念は定めていませんが、財務報告の目的を達成するために、リスクから解放された投資の成果として意味のある情報を提供するためには、投資の実態や本質に応じて、それにふさわしい測定の選択をする必要があります。

資産の測定の典型例

(1) 取得原価

資産取得の際に支払われた現金もしくは現金同等物の金額、または取得のために犠牲にされた財やサービスの公正な金額をいう。これを特に原始取得原価とよぶこともある。

原始取得原価の一部を費用に配分した結果の資産の残高は未償却原価とよばれる。原始取得原価を基礎としていることから、未償却原価も広義に捉えた取得原価の範疇に含まれる。

未償却原価は、将来に回収されるべき投資の残高を表す。そのため、未償却原価は資産の価値の測定方法というより、資産の利用にともなう費用を測定するうえで重要な意味をもつ。

例：取 得 原 価→非償却資産である土地
　　未償却原価→償却性資産である機械

(2) 市場価格

購買市場と売却市場が区別されない場合		流通市場で成立している価格をいい、資産を処分ないし清算したときに得られる資金の額、あるいは再取得するのに必要な資金の額を表す。
		変動額には、将来キャッシュ・フローや割引率に対する市場の平均的な期待の改訂が反映される。
		例：売買目的有価証券
購買市場と売却市場が区別される場合	再調達原価	購買市場で成立している価格をいい、保有資産を測定時点で改めて調達した場合に必要な資金の額をいう。
		変動額は、資産の調達時期を遅らせていた場合に生じたはずの損益を意味する。
		例：棚卸資産
	正味実現可能価額	売却市場で成立している価格をいい、保有する資産を測定時点で売却処分した場合に回収できる資金の額を表す。
		変動額は、資産を期末に売却した場合に生じたはずの損益を意味する。
		例：棚卸資産

購買市場と売却市場の区別の有無

　購買市場と売却市場の区別があるかどうかにより、市場価格の種類に違いが生じます。

購買市場と売却市場が区別されない場合	購買市場と売却市場が区別される場合
：同一市場で、購入および売却を行う状況 　例：株式市場（証券市場）	：購入と売却をする市場が異なる状況 　例：商品（棚卸資産）の売買

 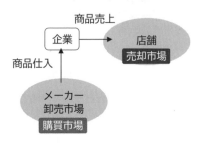

〈市場価格〉
・取引（売買）価格
　→処分・清算・再取得にかかる額

〈市場価格〉
・再調達原価→再仕入にかかる額
・正味実現可能価額
　　→売却による回収可能価額

62

(3) **割引価値**

将来キャッシュ・フローを継続的に見積もり直すとともに、割引率も改訂する場合	利用価値	資産の利用から得られる将来キャッシュ・フローを測定時点で見積もり、その時点の割引率で割り引いた額をいい、その時点の市場価格とそれを超える無形ののれん価値との合計額を表す。
		変動額は、この投資額に対する正常なリターンの額（資本コストに見合う額）を意味する。ただし、将来の期待が期中で変化した場合は、正常なリターンに加えて、期待の変化が、経営者の主観的な見込みだけで、その変動額に算入される。
		例：固定資産に係る減損（使用価値を回収可能価額とする場合）
	市場価格を推定するための割引価値	市場で平均的に予想されているキャッシュ・フローと市場の平均的な割引率を測定時点で見積もり、割り引いた額をいう。
		例：取引市場が存在していないデリバティブ取引により生じる正味の債権
将来キャッシュ・フローのみを継続的に見積もり直す場合		資産の利用から得られる将来キャッシュ・フローを測定時点で見積り、その資産の取得時点における割引率で割り引いた額をいい、資産から得られる将来キャッシュ・フローについて、回収可能性の変化のみを反映させた額を表す。
		変動額には、当初用いた割引率に見合う利息収益の要素と期待キャッシュ・フローが変化したことにともなう損益の要素がある。
		例：貸付金

CHAPTER
3

概念フレームワーク

⑷ 入金予定額

資産から期待される将来キャッシュ・フローを単純に（割り引かずに）合計した金額をいい、将来に入金が予定されている額、回収可能額を表す。
変動額には、借手の信用状況の変化が反映される。
例：売掛金・受取手形

⑸ 被投資企業の純資産額に基づく額

被投資企業の純資産のうち、投資企業の持分比率に対応する額をいい、被投資企業に対する報告主体の持分額あるいは投資額を表す。被投資企業の純資産の変動にもとづいて利益を測定する際に用いられる。
例：持分法・実価法

▐▶ 負債の測定の典型例

⑴ 支払予定額

負債の返済に要する将来キャッシュ・フローを単純に（割り引かずに）合計した額をいい、将来支払うべき金額を表す。
例：買掛金・支払手形

⑵ 現金受入額

財・サービスを提供する義務の見返りに受け取った現金または現金同等物の金額をいい、実際に受け入れた資金の額を表す。
例：前受金・前受収益

(3)　**割引価値**

① 　将来キャッシュ・フローを継続的に見積もり直すとともに、割引率も改訂する場合

リスクフリー・レートによる割引価値	測定時点で見積もった将来のキャッシュ・アウトフローを、その時点におけるリスクフリー・レートで割り引いた額をいい、借手である報告主体が自身のデフォルトを考慮せずに見積もった、負債の価値を表す。
	変動額には、期待キャッシュ・アウトフローの増減や時の経過、およびリスクフリー・レートの変化が反映される。
	例：退職給付債務
リスクを調整した割引率による割引価値	測定時点で見積もった将来のキャッシュ・アウトフローを、その時点における報告主体の信用リスクを加味した最新の割引率で割り引いた額をいう。
	変動額は、期待キャッシュ・アウトフローの増減、時の経過や、リスクフリー・レートの変化に加えて、借手である報告主体の信用リスクの変化が反映される。
	―

② 　将来キャッシュ・フローのみを継続的に見積もり直す場合

測定時点で見積もった将来のキャッシュ・アウトフローを、負債が生じた時点における割引率で割り引いた額をいう。
変動額には、負債発生当初に用いた割引率に見合う利息費用の要素と期待キャッシュ・アウトフローの変化にともなう損益の要素がある。
―

CHAPTER
3

概念フレームワーク

③　将来キャッシュ・フローを見積もり直さず、割引率も改訂しない場合

> 負債が生じた時点で見積もった将来のキャッシュ・アウトフローを、その時点での割引率で割り引いた額をいう。
> ---
> 変動額は、期首の負債額に対する当初の実効金利による利息費用を表す。
> ---
> 例：社債

(4)　市場価格

定義および変動額の意味については資産の場合と同様です。

▌収益・費用の測定

収益・費用の測定方法としては以下のものがあげられます。取引内容や対価などによって、それぞれ着目する事象が異なることを確認しましょう。

▌収益の測定の典型例

以下、(1)～(4)に着目して収益を測定する方法があります。

(1)　交換

> 財やサービスを第三者に引き渡すことで**獲得した対価**によって収益をとらえる方法。
> 収益計上の判断規準は投資のリスクから解放されたか否かであり、事業投資の場合、原則として、事業のリスクに拘束されない資産を交換によって獲得したか否かで判断します。この場合の収益の額は、獲得した対価の測定値に依存します。すなわち、対価が資産の増加となる場合にはその増加額、負債の減少となる場合にはその減少額によって収益は測定されます。
> ---
> 例：商品売上高

(2)　市場価格の変動

> **資産や負債に関する市場価格の有利な変動**によって収益をとらえる方法。
> 随時換金（決済）可能で、換金（決済）の機会が事業活動による制約・拘束を受けない資産・負債については、換金（決済）による成果を期待して資金の回収（返済）と再投資（再構築）が繰り返されているとみなすこともできます。その場合、市場価格の変動によって、投資の成果が生じたと判断します。この場合の収益の額は、1期間中に生じた市場価格の上昇額によって測定されます。
> ---
> 例：売買目的有価証券の評価益

⑶　契約の部分的な履行

財やサービスを継続的に提供する契約が存在する場合、契約の部分的な履行に着目して収益をとらえる方法。
そのような契約において、相手方による契約の履行（代金の支払）が確実視される場合は、報告主体が部分的に履行しただけで（つまり相手方の履行を待たずに）、契約価額の一部を成果として得たとみなすことができます。この場合の収益の額は、1期間中に履行された割合を契約額に乗じて測定されます。

例：長期貸付金に係る受取利息

⑷　被投資企業の活動成果

投資企業が、被投資企業の成果の獲得に応じて投資勘定を増加させて収益をとらえる方法。
被投資企業との間に一体性を見出せる場合は、被投資企業の事業活動は投資企業の事業活動の延長線上にあると位置づけられます。その場合、被投資企業の成果の帰属に着目して、投資企業の成果を計算できます。この場合の収益の額は、被投資企業の純利益に持分割合を乗じた額として測定されます。

例：持分法による投資損益

▶費用の測定の典型例

以下、⑴〜⑷に着目して費用を測定する方法があります。

⑴　交換

財やサービスを第三者に引き渡すことで犠牲にした対価によって費用をとらえる方法。

例：商品

⑵　市場価格の変動

資産や負債に関する市場価格の不利な変動によって費用をとらえる方法。

例：売買目的有価証券の評価損

(3) 契約の部分的な履行

財やサービスの継続的な提供を受ける契約が存在する場合、契約の部分的な履行に着目して費用をとらえる方法。

例：長期借入金に係る支払利息

(4) 利用の事実

資産を実際に利用することによって生じた消費や価値の減耗に基づいて費用をとらえる方法。
これは一般には、事業活動に拘束された資産に適用される方法です。この場合の費用は、減少した資産の測定値によって測定します。

例：固定資産の減価償却費

 費用の測定方法の(1)〜(3)は、それぞれ収益の測定方法(1)〜(3)と対になっています。

問題 ▶▶▶ 問題編の**問題1**に挑戦しましょう！

CHAPTER 4

財務諸表

　ここでは、制度会計における財務諸表の体系と、主要財務諸表である損益計算書および貸借対照表の特徴を学習していきます。

　試験で直接問われる可能性は低いですが、財務諸表論の基本中の基本です。しっかり理解しておきましょう！

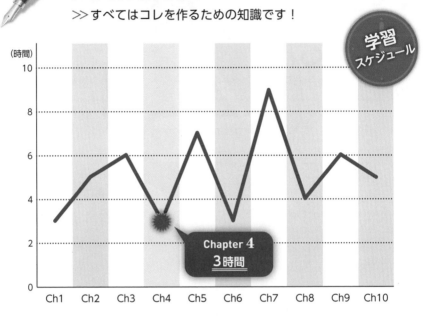

Chapter **4**

総 論

財務諸表

>> すべてはコレを作るための知識です！

学習
スケジュール

(時間)

Chapter **4**
<u>3時間</u>

Ch1　Ch2　Ch3　Ch4　Ch5　Ch6　Ch7　Ch8　Ch9　Ch10

Check List

☐ 損益計算書作成の考え方を理解しているか？

☐ 費用収益対応表示の原則を理解しているか？

☐ 期間損益計算の連結機能について理解しているか？

☐ 貸借対照表の資産および負債の配列方法について理解しているか？

☐ 貸借対照表の科目の分類基準について理解しているか？

Link to 簿記論① **Chapter1 損益計算書総論**
簿記論② **Chapter1 貸借対照表総論**

このChapterは理論のみの学習なので簿記論では直接的には問われません。

しかし、財務諸表の作成は簿記論でも当然問われますので、簿記論で使われる計

算方法の背景を理解しておきましょう。

1：財務諸表の体系

理 **Rank B**

▌ 財務諸表の体系

財務諸表は、**会社法**および**金融商品取引法**により規定されています。

Point 財務諸表の体系（個別財務諸表）

	会社法会計	金融商品取引法会計
制度の目的	主に株主と債権者との間の利害関係の調整	国民経済の健全な発展および投資者の保護
規制の対象	すべての会社	上場会社等
会計処理基準	会社法の計算規定および会社計算規則等	一般に公正妥当と認められる企業会計の基準
表示基準	会社計算規則等	財務諸表等規則
財務諸表（計算書類等）の体系	1. 貸借対照表 2. 損益計算書 3. 株主資本等変動計算書 4. 注記表 5. 事業報告 6. 附属明細書	1. 貸借対照表 2. 損益計算書 3. 株主資本等変動計算書 4. キャッシュ・フロー計算書 5. 附属明細表
開示の方法	1. 計算書類等の株主への提供 2. 計算書類等の定時株主総会への提出等 3. 計算書類等の公告 4. 計算書類等の備置および閲覧等	有価証券報告書および四半期報告書等を内閣総理大臣に提出

CHAPTER 4 財務諸表

問題 ▶▶▶ 問題編の**問題1**に挑戦しましょう！

2：損益計算書の本質

▶ 損益計算書の本質

　損益計算書は、企業の経営成績を明らかにするために、一会計期間に属する
すべての収益とこれに対応するすべての費用とを記載したものです。

> **企業会計原則　損益計算書原則一**
> 　損益計算書は、企業の経営成績を明らかにするため、一会計期間に属するすべての収
> 益とこれに対応するすべての費用とを記載して経常利益を表示し、これに特別損益に属
> する項目を加減して当期純利益を表示しなければならない。

▶ 損益計算書作成の考え方 🚩

　損益計算書作成の考え方には、次の2つがあります。

(1)　**当期業績主義**

　　当期業績主義とは、損益計算書の作成目的を期間的な業績利益の算定・表
　　示と考え、そのために、期間損益（経常損益）のみで損益計算を行い、損益
　　計算書を作成するという考え方をいいます。

(2)　**包括主義**

　　包括主義とは、損益計算書の作成目的を期間的な処分可能利益の算定・表
　　示と考え、そのために、期間損益（経常損益）だけでなく期間外損益（特別
　　損益）も含めて損益計算を行い、損益計算書を作成するという考え方をいい
　　ます。

 　上記の期間損益とは、会計期間の正常な経営成績を反映する損益をいい、営業
損益と営業外損益から構成されます。また、期間外損益とは、会計期間の正常
な経営成績を反映しない損益をいい、特別損益から構成されます。

Point 当期業績主義と包括主義

　当期業績主義と包括主義との最大の違いは、期間外損益（特別損益）を当期純利益の計算過程に取り込むか否かにあります。

　しかし、この考え方の違いは、単に損益計算書の表示形式に関する違いではなく、伝統的な企業会計の基本目的である損益計算において、どのような利益を計算・表示するかというところに根本的な違いがあります。

当期業績主義	期 間 損 益	営 業 損 益	営 業 収 益
			営 業 費 用
		営業外損益	営業外収益
			営業外費用
包 括 主 義	期間外損益	特 別 損 益	特 別 利 益
			特 別 損 失

当期業績主義の論拠

　当期業績主義の論拠は、損益計算書が当該期間の経営活動の状況のもとで、企業がどれほどの利益を獲得できたかということに関心をもつ人々に情報を提供することにあります。

　このような情報を提供するためには、損益計算書は正常な経営活動だけを反映している必要があります。

　なぜなら、正常な経営活動のもとで生じる費用および収益のみを損益決定の際の計算要素とすることによって、正常な企業の収益力を示し、情報利用者が正常な活動状況のもとでの企業の業績を判断することができるからです。

包括主義の論拠

　包括主義の論拠は、伝統的な企業会計における基本目的である損益計算が、投下資本の回収余剰としての利益（処分可能利益）を算定することを基本課題としていることにあります。

　したがって、当該期間に生じたすべての収益および費用を計算要素とすることにより、投下資本を回収してなお余りある余剰としての利益が算定できるのです。

S Study　現行制度における考え方

 現行の企業会計原則における損益計算書は、期間外損益も記載しているから、包括主義の立場を採用しているんですか？

 形式的には包括主義の立場を採用しているようにみえますが、当期業績主義に基づいた利益も示していますよね。だから、その実質は当期業績主義と包括主義を併合した形の損益計算書となっています。

3：損益計算書の作成原則　理

総額主義の原則

総額主義の原則とは、費用と収益とを直接相殺することによって、その全部または一部を損益計算書から除去してはならないことを指示する原則です。

> **企業会計原則　損益計算書原則一**
> B　費用及び収益は、総額によって記載することを原則とし、費用の項目と収益の項目とを直接に相殺することによってその全部又は一部を損益計算書から除去してはならない。

総額主義は、利益の源泉となった取引の量的規模を明瞭に表示することにより、企業の経営活動の状況を明らかにするために採用されています。

総額主義の原則の例外

総額主義の原則の例外として主なものは次のとおりです。

(1)　仕入高

仕入高については、総仕入高から値引・割戻し・戻りを控除した純仕入高による表示が行われます。

総額での表示を強制することは、営業上の機密を露呈するという意味で好ましくなく、また、値引と割戻しの区別、割戻しと販売奨励費の区別が必ずしも明確に行えない場合がある等の、実務界からの要請によるものです。

(2)　為替差損益

為替差益および為替差損については、両者を相殺していずれか一方で表示します。

これは為替相場の変動という1つの要因により生じるものであるため、純額で表示することにより、その企業が為替相場の変動による影響をどれくらい受けているかを端的に示すことができるからです。

費用収益対応表示の原則

費用収益対応表示の原則とは、利益の発生原因を明らかにするため、収益と費用を適宜分類して、相互に関連のある収益と費用を対応表示することを指示する原則です。

> **企業会計原則　損益計算書原則一**
> C　費用及び収益は、その発生源泉に従って明瞭に分類し、各収益項目とそれに関連する費用項目とを損益計算書に対応表示しなければならない。

Point ▶ 費用収益対応表示の原則の分類

損益計算書の対応表示は、次のように分類できます。

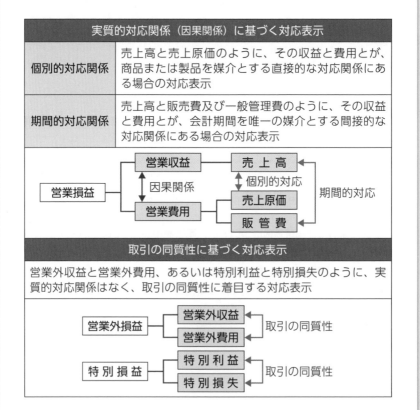

実質的対応関係（因果関係）に基づく対応表示	
個別的対応関係	売上高と売上原価のように、その収益と費用とが、商品または製品を媒介とする直接的な対応関係にある場合の対応表示
期間的対応関係	売上高と販売費及び一般管理費のように、その収益と費用とが、会計期間を唯一の媒介とする間接的な対応関係にある場合の対応表示

営業損益 ─ 営業収益 ↔ 因果関係 ↔ 営業費用 ── 売上高（個別的対応）売上原価・販管費（期間的対応）

取引の同質性に基づく対応表示
営業外収益と営業外費用、あるいは特別利益と特別損失のように、実質的対応関係はなく、取引の同質性に着目する対応表示

営業外損益 ─ 営業外収益・営業外費用（取引の同質性）

特別損益 ─ 特別利益・特別損失（取引の同質性）

▶ 区分表示の原則

区分表示の原則とは、営業損益計算、経常損益計算および純損益計算の区分を設け、区分計算表示することを指示する原則です。

企業会計原則　損益計算書原則二

　損益計算書には、営業損益計算、経常損益計算及び純損益計算の区分を設けなければならない。

A　営業損益計算の区分は、当該企業の営業活動から生ずる費用及び収益を記載して、営業利益を計算する。

　　二つ以上の営業を目的とする企業にあっては、その費用及び収益を主要な営業別に区分して記載する。

B　経常損益計算の区分は、営業損益計算の結果を受けて、利息及び割引料、有価証券売却損益その他営業活動以外の原因から生ずる損益であって特別損益に属しないものを記載し、経常利益を計算する。

C　純損益計算の区分は、経常損益計算の結果を受けて、（省略）固定資産売却損益等の特別損益を記載し、当期純利益を計算する。

Point ▶ 損益計算書の各区分の内容

営業損益計算の区分	その企業の営業活動から生ずる損益を記載して、営業利益を計算する区分で、企業の営業成績が明らかとなる。
経常損益計算の区分	営業損益計算の結果を受けて、営業活動以外の活動から生ずる損益で、特別損益に属しないものを記載して、経常利益を計算する区分であり、企業の正常収益力が明らかとなる。
純損益計算の区分	経常損益計算の結果を受けて、特別損益（臨時損益）を記載して、（税引前）当期純利益を計算する区分であり、当期の処分可能利益の増加額が明らかとなる。

法人税の性格

　法人税の性格については、費用説と利益処分説の2つの見解があります。どちらの説をとるかにより、本来の損益計算書における最終利益が、税引前当期純利益となるか当期純利益となるかに分かれます。

費 用 説	費用説とは、企業（法人）が、国家ないし地方の行政サービスを消費するのであるから、そのサービスに対する費用として法人税を支払うべきであるとする考え方。 この見解によれば、本来の損益計算書における最終利益は「当期純利益」ということになる。
利益処分説	利益処分説とは、法人税は、企業の利益に対して課されるものであって、利益がなければ課されないのであるから、利益の処分項目であるとする考え方。 この見解によれば、本来の損益計算書における最終利益は「税引前当期純利益」ということになる。

　わが国の企業会計原則は、両説の折衷説をとっており、税引前当期純利益をいったん算出してから法人税を差し引く形式をとっています。

問題 ＞＞＞ 問題編の**問題2**に挑戦しましょう！

4 ：貸借対照表の本質　　理

貸借対照表の本質

貸借対照表は、企業の**財政状態**を明らかにするために、貸借対照表日におけるすべての資産、負債および純資産を対照表示したものです。

> **企業会計原則**　貸借対照表原則一
> 貸借対照表は、企業の財政状態を明らかにするため、貸借対照表日におけるすべての資産、負債及び純資産（資本）を記載し、株主、債権者その他の利害関係者にこれを正しく表示するものでなければならない。（以下、省略）

期間損益計算の連結機能

貸借対照表は、収支計算と損益計算との期間的なズレから生じる未解決項目を収める場所であり、連続する期間損益計算を連結する機能を果たしています。

収益と収入、費用と支出の計上時期に期間的なズレが生じる場合がありますが、この収支計算と損益計算の期間的ズレから生じる項目を未解決項目といいます。

財政状態の表示機能

貸借対照表は、企業資本の運用形態とそれら資本の調達源泉とを対照表示したものです。したがって、それは、一定時点における企業の財政状態を表示する機能を果たしています。

CHAPTER
4
財務諸表

Point ▶ 財政状態とは

　　財政状態とは、企業が経営活動を行うために利用される資本の調達源泉と運用形態の釣合いの状態をいいます。すなわち、ある一定時点において使用されている資金の調達源泉とその循環過程中における運用形態の釣合いの状態を財政状態とよびます。

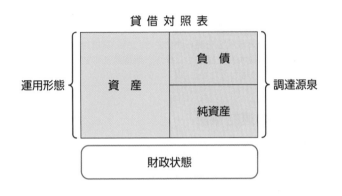

問題 ▷▷▷ 問題編の**問題3**に挑戦しましょう！

5：貸借対照表の作成原則　　理　

総額主義の原則

総額主義の原則とは、資産と負債または純資産とを直接相殺することによって、その全部または一部を貸借対照表から除去してはならないことを指示する原則です。

企業の財政規模を明らかにするため、資産と負債または純資産とを直接相殺することを禁止しています。

CHAPTER 4
財務諸表

Point　相殺の禁止例

　貸借対照表は、一定時点における企業の財政状態を明瞭に表示するものでなければなりません。したがって、次のように、資産項目と負債項目の相殺、資産項目と純資産項目の相殺は認められません。

認められない相殺の具体例	相殺禁止の理由
(1) 資産項目と負債項目との相殺 　売掛金と買掛金とを直接相殺することにより、純額で表示する。	債権・債務の釣合いの関係が隠蔽されるため。
(2) 資産項目と純資産項目との相殺 　新株発行による資本準備金（株式払込剰余金）から株式交付費（繰延資産）を控除する。	資本と利益との混同が生じるため。

▶ 区分表示の原則

　区分表示の原則とは、貸借対照表は、**資産の部**、**負債の部**および**純資産の部**の３区分に分け、さらに資産の部を**流動資産**、**固定資産**および**繰延資産**に、負債の部を**流動負債**および**固定負債**に区分しなければならないという原則です。

▶ 資産および負債の配列方法 🚩

　資産および負債の項目の配列方法には、**流動性配列法**と**固定性配列法**の２つがあります。企業会計原則においては、原則として流動性配列法による方法を採用しています。

Point ▶ 配列方法の種類

	配列方法	特　徴
流動性配列法	資産の配列を流動資産、固定資産の順序で配列し、負債についても、流動負債、固定負債の順序で配列する方法。	企業の財務流動性の程度、すなわち債務支払能力をみるのに適している。
固定性配列法	資産の配列を固定資産、流動資産の順序で配列し、負債についても、固定負債、流動負債の順序で配列する方法。	企業の財務健全性の程度をみるのに適している。

貸借対照表の科目の分類基準

貸借対照表上の科目の分類基準には、**正常営業循環基準**と**一年基準**とがあり、そのほかに、科目の性質や保有目的等により分類されるものもあります。

(1) 正常営業循環基準

正常営業循環基準とは、企業の正常な営業循環過程を構成する資産および負債は、これをすべて流動資産および流動負債に属するものとする基準をいいます。

(2) 一年基準

一年基準とは、貸借対照表日の翌日から起算して1年以内に期限が到来するものを流動資産・流動負債とし、期限が1年を超えて到来するものを固定資産・固定負債とする基準をいいます。

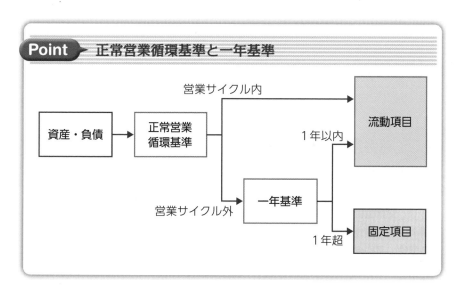

Point　正常営業循環基準と一年基準

資産・負債 → 正常営業循環基準 → 営業サイクル内 → 流動項目
正常営業循環基準 → 営業サイクル外 → 一年基準 → 1年以内 → 流動項目
一年基準 → 1年超 → 固定項目

上記の２つの基準によらず、例外的に、科目の性質、所有目的などの条件によって流動・固定に分類されるものもあります。たとえば、有形固定資産は長期間にわたって使用する目的で所有するため、固定資産に分類され、売買目的有価証券は短期的に売買を繰り返すため、流動資産に分類されます。

▶ 貸借対照表完全性の原則

　貸借対照表完全性（網羅性）の原則とは、一定の時点で保有するすべての資産、負債および純資産を、もれなく完全に貸借対照表に記載すべきことを要求するものです。

　しかし、利害関係者の判断を誤らせない限りにおいて、重要性の原則の適用により、簡便な処理をした結果生じた簿外資産・簿外負債は、正規の簿記の原則に従った適正な会計処理として認められます。

企業会計原則　貸借対照表原則一

　貸借対照表は、企業の財政状態を明らかにするため、貸借対照表日におけるすべての資産、負債及び純資産（資本）を記載し、株主、債権者その他の利害関係者にこれを正しく表示するものでなければならない。ただし、正規の簿記の原則に従って処理された場合に生じた簿外資産及び簿外負債は、貸借対照表の記載外におくことができる。

簿外資産・簿外負債の計上について

　企業会計原則によると、本来は、期間損益計算の過程における未解決項目を完全に収容することが貸借対照表完全性の原則にかなうものであるといえます。しかし、企業会計原則では、「正規の簿記の原則に従って処理された場合に生じた簿外資産及び簿外負債は、貸借対照表の記載外におくことができる。」として、重要性の原則の適用から生じる簿外資産・簿外負債は、貸借対照表完全性の原則の例外として認めています。

　なお、簿外資産・簿外負債の具体例については、企業会計原則注解で規定されています。

企業会計原則　注解【注1】

　重要性の原則の適用例としては、次のようなものがある。

(1)　消耗品、消耗工具器具備品その他の貯蔵品等のうち、重要性の乏しいものについては、その買入時又は払出時に費用として処理する方法を採用することができる。

(2)　前払費用、未収収益、未払費用及び前受収益のうち、重要性の乏しいものについては、経過勘定項目として処理しないことができる。

(3)　引当金のうち、重要性の乏しいものについては、これを計上しないことができる。

(4)　たな卸資産の取得原価に含められる引取費用、関税、買入事務費、移管費、保管費等の付随費用のうち、重要性の乏しいものについては、取得原価に算入しないことができる。

(5)　分割返済の定めのある長期の債権又は債務のうち、期限が一年以内に到来するもので重要性の乏しいものについては、固定資産又は固定負債として表示することができる。

問題 >>> 問題編の**問題4**に挑戦しましょう！

CHAPTER
4
財務諸表

CHAPTER 5

　財務諸表論の計算の中心は、「会社法」および「会社計算規則」の規定に準拠した計算書類等の作成です。そのため、ここでは計算書類等の体系および各書類の概要について学習していきます。

総論

計算書類等

>> 計算書類等の作成は会社計算規則に準拠します！

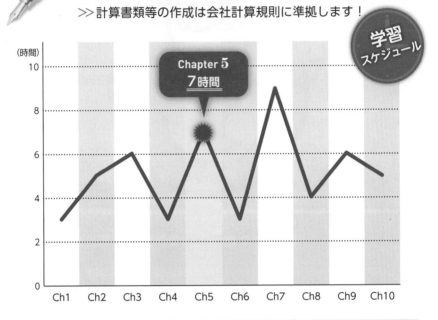

学習
スケジュール

(時間)

Chapter 5
7時間

Ch1　Ch2　Ch3　Ch4　Ch5　Ch6　Ch7　Ch8　Ch9　Ch10

Check List

☐ 計算規則における貸借対照表を理解しているか？

☐ 計算規則における損益計算書を理解しているか？

☐ 値引、返品、割戻し、割引を理解しているか？

☐ 経過勘定項目を理解しているか？

☐ 注記表の概要を理解しているか？

Link to

　このChapterで学習することは、簿記論では深く問われるものではありません。しかし、財務諸表論では、表示や注記が重要になってきますので、しっかり学習しましょう。

1 ：計算書類等の概要　　理 計

▌計算書類等とは

　計算書類等については、会社法で「株式会社は、法務省令で定めるところにより、各事業年度に係る計算書類（貸借対照表、損益計算書その他株式会社の財産及び損益の状況を示すために必要かつ適当なものとして法務省令で定めるものをいう。）及び事業報告並びにこれらの附属明細書を作成しなければならない。」と規定されています。

「その他株式会社の財産及び損益の状況を示すために必要かつ適当なものとして法務省令で定めるもの」とは、株主資本等変動計算書および個別注記表のことです。

Point ▶ 計算書類等の体系と概要

計算書類	貸借対照表
	損益計算書
	株主資本等変動計算書
	個別注記表
等	計算書類に係る附属明細書
事業報告	
事業報告に係る附属明細書	

CHAPTER 5

計算書類等

名　　称	概　　念
貸借対照表	会社の財産に関する状況を示す書類
損益計算書	会社の損益に関する状況を示す書類
株主資本等変動計算書	貸借対照表の純資産の部の一会計期間における変動額とその変動事由を示す書類
個別注記表（注記表）	計算書類の数値や項目に関する補足的な財務情報を示す書類
事業報告	会社の計算書類以外の会社の状況に関する重要な事項等を示す書類
附属明細書	上記書類に関する期中増減、期末内訳等を示す書類

会社計算規則では、計算書類およびその附属明細書に係る事項の金額は、一円単位、千円単位または百万円単位のいずれかによることとされています。なお、受験上は、千円単位での作成が通常になると考えられますが、作成単位ならびに端数処理の方法が明示されるため、その指示に従いましょう。

2：計算規則における貸借対照表の概要 計

貸借対照表のフォーム

貸借対照表は、タイトルを記載したうえで、その次の行に、会社名、決算日の日付、単位の3つをそれぞれ記載します。

貸借対照表の各区分名については、答案用紙への記入を要求される問題が出題されるため、しっかり覚える必要があります。

貸 借 対 照 表

A株式会社　　　　　　　　　　××年×月×日　　　　　　　　（単位：千円）

科　　　　　　目	金　　額	科　　　　　　目	金　　額
資　産　の　部		負　債　の　部	
Ⅰ　流　動　資　産	(　163,000)	Ⅰ　流　動　負　債	(　103,250)
現 金 及 び 預 金	15,000	支　払　手　形	33,750
受　取　手　形	57,500	買　　掛　　金	41,750
売　　掛　　金	55,000	短　期　借　入　金	13,500
有　価　証　券	3,750	未　　払　　金	14,250
商　　　　品	25,000	Ⅱ　固　定　負　債	(　36,750)
短　期　貸　付　金	6,250	長　期　借　入　金	3,000
前　払　費　用	500	退　職　給　付　引　当　金	33,750
Ⅱ　固　定　資　産	(　224,500)	負　債　の　部　合　計	140,000
1　有形固定資産	(　176,500)	純　資　産　の　部	
建　　　　物	67,500	Ⅰ　株　主　資　本	(　251,250)
備　　　　品	14,000	1　資　　本　　金	125,000
土　　　　地	95,000	2　資　本　剰　余　金	(　50,000)
2　無形固定資産	(　2,000)	(1)資　本　準　備　金	37,500
特　　許　　権	1,500	(2)その他資本剰余金	12,500
商　　標　　権	500	3　利　益　剰　余　金	(　76,250)
3　投資その他の資産	(　46,000)	(1)利　益　準　備　金	12,500
投　資　有　価　証　券	18,250	(2)その他利益剰余金	(　63,750)
関　係　会　社　株　式	8,750	新　築　積　立　金	13,750
長　期　貸　付　金	11,500	繰　越　利　益　剰　余　金	50,000
長　期　預　金	7,500		
Ⅲ　繰　延　資　産	(　3,750)		
開　　発　　費	3,750	純　資　産　の　部　合　計	251,250
資　産　の　部　合　計	391,250	負債及び純資産の部合計	391,250

CHAPTER 5

計算書類等

(1)　資産の部、負債の部、純資産の部の合計額は、各区分の末尾に別に1行を設けて「○○の部合計」として記載します。また、負債の部と純資産の部の両者の合計額も「負債及び純資産の部合計」として記載します。

(2)　さらに細分化した各区分の合計額は、各区分名の横の金額欄にカッコ書で記載するのが慣行です。ただし、資本金、資本準備金、その他資本剰余金、利益準備金の4つについては、それが科目名でもあることから金額欄にカッコは付けません。

(3)　区分名の前に番号を付すことについては特に決まりはありませんが、慣行として資産の部、負債の部、純資産の部には番号を付さず、流動資産、固定資産など、さらに細分化した区分にはローマ数字（Ⅰ、Ⅱ、…）を付し、有形固定資産、無形固定資産、投資その他の資産など、さらに細分化した区分には算用数字（1、2、…）を付し、資本準備金、その他資本剰余金など、さらに細分化した区分にはカッコ数字（⑴、⑵、…）を付すのが一般的です。

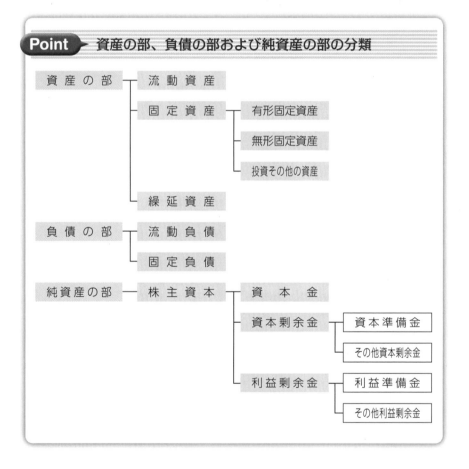

Point 資産の部、負債の部および純資産の部の分類

勘定科目と表示科目の関係

　勘定科目とは、仕訳や勘定記入の際に用いられる科目であり、表示科目とは、貸借対照表や損益計算書に記載する際に用いられる科目です。

　財務諸表論の計算問題においては、外部報告用の貸借対照表や損益計算書を作成するため、勘定科目ではなく表示科目を用いて解答します。

〈勘定科目であり、かつ、表示科目でもあるもの〉

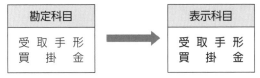

〈勘定科目と表示科目が異なるもの〉

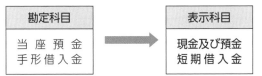

CHAPTER 5

計算書類等

3 : 資産の部の表示科目

▌▶ 流動資産の表示科目

流動資産の区分の表示科目の配列は、おおむね次の順序で行うのが慣行です。

現 金 及 び 預 金	現金および短期性の預金
受 取 手 形	営業取引により受け取った手形
売 掛 金	営業取引から生じた未収額
契 約 資 産	営業取引から生じた債権のうち無条件でないもの
有 価 証 券	短期で保有する株式や債券などの証券
商 品	商業を営む企業が、販売する目的で所有する購入物品
貯 蔵 品	消耗品などの期末未使用額
前 渡 金	商品などの購入のための前渡額
未 収 金	営業取引以外の取引から生じた未収額のうち短期性のもの
立 替 金	取引先等に生じた一時的な立替額
短 期 貸 付 金	貸付金のうち短期性のもの
短 期 固 定 資 産 売 却 受 取 手 形	固定資産の売却（営業取引以外の取引）により受け取った手形のうち短期性のもの

学習上は現金及び預金から商品までの配列順序を覚えておきましょう。

▌▶ 固定資産の表示科目

固定資産の表示科目の配列は、おおむね次の順序で行うのが慣行です。

(1) 有形固定資産の表示科目

建 物	事務所、店舗、倉庫などの営業用の建物
車 両	トラック、乗用車などの営業用の自動車
備 品	机、椅子、パソコンなどの営業用の備品
土 地	事務所、店舗、倉庫の敷地などの営業用の土地
建 設 仮 勘 定	建設（製造）中の有形固定資産に係る代金の前渡額など

建設仮勘定が最後で、その上に土地を表示することを覚えておきましょう。

(2)　無形固定資産の表示科目

特　　許　　権	発明の独占的利用権
借　　地　　権	他人の所有する土地を利用するための地上権および賃借権
商　　標　　権	登録した商品の商標についての独占的利用権

(3)　投資その他の資産の表示科目

投 資 有 価 証 券	長期で保有する株式や債券などの証券
関 係 会 社 株 式	当社の子会社、関連会社などの株式
長　期　預　金	預金のうち長期性のもの
長 期 未 収 金	未収金のうち長期性のもの
長 期 貸 付 金	貸付金のうち長期性のもの
長 期 固 定 資 産 売 却 受 取 手 形	固定資産の売却（営業取引以外の取引）により受け取った手形のうち長期性のもの

投資有価証券と関係会社株式を先に表示することを覚えておきましょう。

▌資産の流動・固定分類

　貸借対照表上の資産の科目は、**正常営業循環基準**や**一年基準**などを適用して流動・固定分類がなされます。

(1)　正常営業循環基準

　正常営業循環基準とは、企業の正常な営業循環過程を構成する資産は、すべて流動資産に属するものとする基準のことです。

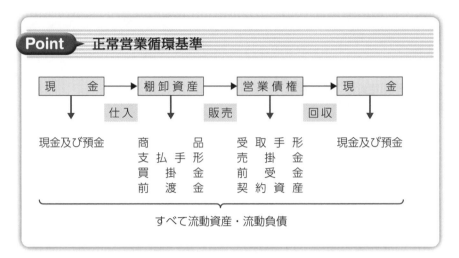

Point ▶ 正常営業循環基準

| 現 金 | → | 棚卸資産 | → | 営業債権 | → | 現 金 |

| | 仕入 | | 販売 | | 回収 | |

現金及び預金　　商　　　品　　受 取 手 形　　現金及び預金
　　　　　　　　支 払 手 形　　売 掛 金
　　　　　　　　買 掛 金　　　前 受 金
　　　　　　　　前 渡 金　　　契 約 資 産

すべて流動資産・流動負債

> この図は資産・負債双方についての図なので、「負債の流動・固定分類」を学習するときにも確認しましょう。

(2) **一年基準**

　一年基準とは、貸借対照表日の翌日から起算して1年以内に期限が到来するものを流動資産とし、期限が1年を超えて到来するものを固定資産とする基準のことです。

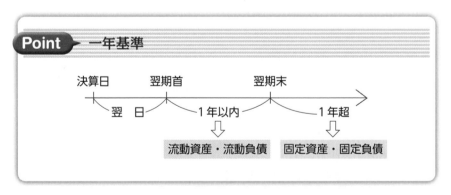

Point ▶ 一年基準

決算日　　　翌期首　　　　　翌期末

翌　日　　　　1年以内　　　　1年超

流動資産・流動負債　　固定資産・固定負債

> この図は資産・負債双方についての図なので、「負債の流動・固定分類」を学習するときにも確認しましょう。

(3) 現行の制度会計

　企業会計原則では、まず正常営業循環基準に基づいて、正常な営業循環過程にあるものを流動項目とし、それ以外の項目については一年基準で判断することとしています。

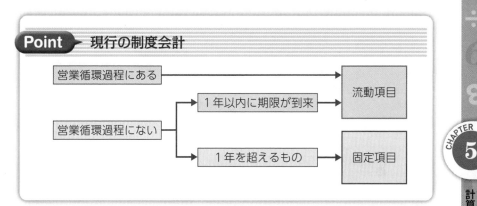

Point　現行の制度会計

　一年基準により流動・固定分類される項目

項　　目	表示区分	表示科目
預　　金	流動資産	現金及び預金
	投資その他の資産	長期預金
未　収　金	流動資産	未収金
	投資その他の資産	長期未収金
貸　付　金	流動資産	短期貸付金
	投資その他の資産	長期貸付金
固定資産売却受取手形	流動資産	短期固定資産売却受取手形
	投資その他の資産	長期固定資産売却受取手形

CHAPTER 5　計算書類等

▶ 繰延資産の表示科目

繰延資産の表示科目は、次のようになっています。

株 式 交 付 費	新株の発行など、株式の交付のために必要な費用の繰延額
社 債 発 行 費	社債の発行のために必要な費用の繰延額
創 立 費	会社設立に必要な費用の繰延額
開 業 費	会社設立後、営業を開始するまでに必要な費用の繰延額
開 発 費	資源の開発、市場の開拓などの費用の繰延額

繰延資産の会計処理方法は、財務諸表論3で詳しく学習します。ここでは、貸借対照表の資産の部に表示されることを覚えておきましょう。

4：負債の部の表示科目

▌▶ 流動負債の表示科目

流動負債の区分の表示科目の配列は、おおむね次の順序で行うのが慣行です。

支 払 手 形	営業取引（商品の仕入など）により振り出した手形
買 掛 金	営業取引から生じた未払額
短 期 借 入 金	借入金のうち短期性のもの
未 払 金	営業取引以外の取引から生じた未払額のうち短期性のもの
未 払 法 人 税 等	法人税、住民税及び事業税の期末未納額
前 受 金 ・ 契 約 負 債	商品などの販売代金の前受額
預 り 金	従業員等からの一時的な預り金のうち短期性のもの
賞 与 引 当 金	翌期に支払う従業員の賞与に関する引当金
短 期 固 定 資 産 購 入 支 払 手 形	固定資産の購入（営業取引以外の取引）により振り出した手形のうち短期性のもの

 学習上は、支払手形から未払法人税等までのところを覚えておきましょう。

固定負債の表示科目

固定負債の表示科目の配列は、おおむね次の順序で行うのが慣行です。

社 債	長期の資金調達のために発行する証券
長 期 借 入 金	借入金のうち長期性のもの
退 職 給 付 引 当 金	将来、従業員に支払う退職給付に関する引当金
長 期 未 払 金	未払金のうち長期性のもの
長 期 預 り 金	預り金のうち長期性のもの
長 期 固 定 資 産 購 入 支 払 手 形	固定資産の購入（営業取引以外の取引）により振り出した手形のうち長期性のもの

 学習上は、社債と長期借入金を先に表示することを覚えておきましょう。

負債の流動・固定分類

貸借対照表上の負債の科目についても、**正常営業循環基準**や**一年基準**などを適用して流動・固定分類がなされます。

 一年基準により流動・固定分類される項目

項 目	表 示 区 分	表 示 科 目
借 入 金	流動負債	短期借入金
	固定負債	長期借入金
未 払 金	流動負債	未払金
	固定負債	長期未払金
預 り 金	流動負債	預り金
	固定負債	長期預り金
固定資産購入支払手形	流動負債	短期固定資産購入支払手形
	固定負債	長期固定資産購入支払手形

仮払金・仮受金の表示

仮払金は資産、仮受金は負債としての性質をもつ科目ですが、これらはあくまで期中の取引において便宜的に用いられた仮の科目ですよね？　財務諸表上ではどのように記載するのですか？

期末に財務諸表を作成する際には、該当する正しい表示科目に振り替えて、財務諸表に記載します。
ただし、期末においてその内容が不明の場合もあります。そのような場合には、仮払金および仮受金の残高をそれぞれ流動資産および流動負債に表示することができるから注意してください。

CHAPTER

5

計算書類等

5：純資産の部の表示科目 計

▶ 純資産の部の表示科目

純資産の部の表示は、会社計算規則において、厳密に規定されています。

純 資 産 の 部	
Ⅰ 株 主 資 本	（ 245,000)
1 資 本 金	200,000
2 資 本 剰 余 金	（ 30,000)
(1)資 本 準 備 金	20,000
(2)その他資本剰余金	10,000
3 利 益 剰 余 金	（ 15,000)
(1)利 益 準 備 金	5,000
(2)その他利益剰余金	（ 10,000)
○ ○ 積 立 金	3,000
繰 越 利 益 剰 余 金	7,000

(1) 資本剰余金の区分

資 本 準 備 金	株主から払い込まれた金額のうち、資本金として組み入れなかった金額
その他資本剰余金	資本金および資本準備金の取崩しによって生ずる剰余金ならびに自己株式処分差損益

(2) **利益剰余金の区分**

利益準備金			会社が獲得した利益のうち、会社法で留保することを義務づけられている金額
その他利益剰余金	任意積立金	新築積立金	固定資産の新築にともなう支出に備えた積立金
		役員退職慰労積立金	役員の退職にともなう支出に備えた積立金
		別途積立金	特定の目的のない積立金
	繰越利益剰余金		その他利益剰余金のうち、任意積立金以外のもの

その他利益剰余金の配列順序は特にありません。ただし、繰越利益剰余金は最後に、別途積立金をその上に表示するのが慣行なので、これだけは覚えておきましょう。

問題 ▶▶▶ 問題編の**問題 1**に挑戦しましょう！

CHAPTER **5**

計算書類等

6：計算規則における損益計算書の概要 計

▶ 損益計算書のフォーム 🚩

損益計算書は、タイトルを記載したうえで、その次の行に会社名、事業年度（期首から期末まで）、単位の３つをそれぞれ記載します。

損　益　計　算　書

A株式会社　　　　　自××年×月×日　至××年×月×日		（単位：千円）
摘　　　　　　　　　　要	金	額
Ⅰ　売　　　上　　　高		75,000
Ⅱ　売　　上　　原　　価		37,500
売上総利益（または売上総損失）		37,500
Ⅲ　販売費及び一般管理費		7,500
営業利益（または営業損失）		30,000
Ⅳ　営　業　外　収　益		
受　　取　　利　　息	750	
受　　取　　配　　当　　金	1,050	1,800
Ⅴ　営　業　外　費　用		
支　　払　　利　　息	1,800	
雑　　　　　　　　損	300	2,100
経常利益（または経常損失）		29,700
Ⅵ　特　　別　　利　　益		
固　定　資　産　売　却　益	1,200	1,200
Ⅶ　特　　別　　損　　失		
災　　害　　損　　失	3,600	3,600
税引前当期純利益（または税引前当期純損失）		27,300
法人税、住民税及び事業税		7,875
当期純利益（または当期純損失）		19,425

104

(1) 売上高、売上原価等の各区分について、細分することが適当な場合には、適当な項目に細分することができます。なお、特別利益および特別損失に属する項目は、細分することを原則としています。

(2) 利益の表示については、会社計算規則の規定上は、「○○利益金額」となっていますが、会計慣行により、単に「○○利益」と表示すれば足ります。

(3) 当期純利益と繰越利益剰余金との関係については、株主資本等変動計算書に記載されることになります。

(4) 各科目の金額は、金額欄の左側に記載します。そして、区分ごとに締め切り、各区分の金額を金額欄の右側に記載します。

また、税引前当期純利益より下の部分の金額は、原則的に金額欄の右側に記載します。

勘定式と報告式

計算書類のフォームには、勘定式と報告式の2つがあります。

会社計算規則では、いずれによるか明定されていませんが、貸借対照表は勘定式、損益計算書は報告式によるのが慣行です。

〈貸借対照表（勘定式）のひな形〉

貸 借 対 照 表
××年×月×日

資 産 の 部		負 債 の 部	
流 動 資 産		流 動 負 債	
現 金 及 び 預 金	×××	支 払 手 形	×××
受 取 手 形	×××	買 掛 金	×××
売 掛 金	×××	⋮	
		純 資 産 の 部	
⋮		株 主 資 本	
		資 本 金	×××
繰 延 資 産	×××	資 本 剰 余 金	×××
株 式 交 付 費	×××	⋮	
繰 延 資 産 合 計	×××	純 資 産 合 計	×××
資 産 合 計	×××	負債・純資産合計	×××

〈損益計算書（報告式）のひな形〉

損 益 計 算 書

自××年×月×日　至××年×月×日

売　　上　　高	×××
売　上　原　価	×××
売 上 総 利 益	×××
販売費及び一般管理費	
⋮	
営　業　利　益	×××
⋮	
経　常　利　益	×××
⋮	
税引前当期純利益	×××
⋮	
当　期　純　利　益	×××

7 : 損益計算書の表示科目　理 計

▶ 売上原価の表示 🚩

　当期商品仕入高は、総仕入高から**仕入値引**、**仕入戻し**、**仕入割戻**を控除した純仕入高で表示します。

仕 入 値 引	量目不足、品質不良、破損等の理由により仕入代金から控除される額
仕 入 戻 し	量目不足、品質不良、破損等の理由により返品する額
仕 入 割 戻	一定期間に多額または多量の取引をしたことにより仕入先から受け取る仕入代金の返戻額

　仕入割引は総仕入高から控除せず、営業外収益の区分に表示します。

例題　売上原価

　次の資料に基づいて、損益計算書（一部）を作成しなさい。

[資　料]

	残 高 試 算 表		（単位：千円）
期首商品棚卸高	37,500	仕 入 値 引	2,500
当期商品仕入高	500,000	仕 入 戻 し	3,500
		仕 入 割 戻	1,500
		仕 入 割 引	750

・期末商品棚卸高 42,500千円

解答

損 益 計 算 書 （単位：千円）

摘　　　　要	金	額
⋮		
Ⅱ　売　上　原　価		
1　期首商品棚卸高	37,500	
2　当期商品仕入高	492,500	
合　　　　　計	530,000	
3　期末商品棚卸高	42,500	487,500
⋮		
Ⅳ　営　業　外　収　益		
仕　入　割　引	750	
⋮		

仕　入　高

総仕入高 500,000千円	仕入値引 2,500千円
	仕入戻し 3,500千円
	仕入割戻 1,500千円
	純仕入高 492,500千円

割引とは

　割引とは、代金支払期日前の支払に対する、掛け代金の一部免除のことをいい、その期間に資金を調達した場合に要したであろう利息の免除額と考えます。

　通常、現金取引と掛け取引とでは掛け取引のほうが代金が高くなると考えられます。

　これは掛け取引の場合、仕入の時点から代金の決済時までに一定の期間があるため、その期間に対する利息が加算されると考えるからです。

販売費及び一般管理費の表示科目

　販売費及び一般管理費の表示科目の配列は、おおむね次の順序で行うのが慣行です。

給　料　手　当	従業員に対する給料および手当
役　員　報　酬	役員に対して支払われる報酬
福　利　厚　生　費	従業員の福利厚生のために支出する費用
広　告　宣　伝　費	商品等の広告宣伝に関する費用
見　本　品　費	商品等の一部を見本品として提供したことにともなう費用
旅　費　交　通　費	出張等にともなう旅費および交通費
通　　信　　費	電話代、郵便切手など通信のために要した費用
水　道　光　熱　費	水道代、ガス代、電気代など
修　　繕　　費	建物、機械などの固定資産の維持修繕のために支出する費用
支　払　保　険　料	火災保険料や損害保険料など

租 税 公 課	法人税、住民税及び事業税として記載されるもの以外の税金
不 動 産 賃 借 料	建物などの不動産を賃借するときに支払う賃料。支払家賃、支払地代も可
事 務 用 消 耗 品 費	期末に未使用分があれば、貯蔵品として貸借対照表の流動資産に表示
減 価 償 却 費	有形固定資産に係る償却費をまとめて表示
特 許 権 償 却	無形固定資産の償却費はすべて販売費及び一般管理費に表示
商 標 権 償 却	
開 発 費 償 却	繰延資産の償却額のうち営業に関連する費用である開発費償却は販売費及び一般管理費に表示
貸倒引当金繰入額	営業債権(受取手形、売掛金など)に対する繰入額は、販売費及び一般管理費に表示し、営業外債権(貸付金など)に対する繰入額は営業外費用に表示
賞与引当金繰入額	従業員の賞与に関連した費用
役員賞与引当金繰入額	役員の賞与に関連した費用
役員退職慰労引当金繰入額	役員の退職慰労金に関連した費用
退 職 給 付 費 用	従業員の退職給付に関連した費用
雑　　　　　費	その他、販売・管理活動に関する費用

 学習上は、雑費を最後に表示することだけおさえておきましょう。

▌▶ 営業外収益の表示科目

　営業外収益の表示科目の配列は、おおむね次の順序で行うのが慣行です。

受 取 利 息	預金と貸付金に係る受取利息
有 価 証 券 利 息	保有債券(公社債)に係る受取利息
受 取 配 当 金	保有株式に係る配当金

仕 入 割 引	仕入代金の一部割引額であり、利息的性格を有する項目
有 価 証 券 売 却 益	短期保有の有価証券に係る売却益
投資不動産賃貸料	不動産を賃貸した際に受け取る賃料。受取家賃、受取地代も可
貸倒引当金戻入額	過年度に引き当てた貸倒引当金を戻し入れたことによる利益
雑 収 入	その他、営業取引以外の取引に関連する収益

 学習上は、雑収入を最後に表示することだけおさえておきましょう。

CHAPTER 5

計算書類等

営業外費用の表示科目

営業外費用の表示科目の配列は、おおむね次の順序で行うのが慣行です。

支 払 利 息	借入金に係る支払利息
社 債 利 息	発行社債に係る支払利息
株 式 交 付 費 償 却	
社 債 発 行 費 償 却	繰延資産の償却額のうち、営業に関する費用である開発費償却以外は営業外費用に表示
創 立 費 償 却	
開 業 費 償 却	
貸倒引当金繰入額	営業外債権（貸付金など）に対する繰入額は営業外費用に表示
有 価 証 券 売 却 損	短期保有の有価証券に係る売却損
雑 損 失	その他、営業取引以外の取引に関連する費用

 学習上は、雑損失を最後に表示することだけおさえておきましょう。

▶ 特別利益・特別損失の表示科目

特別利益と特別損失については、表示科目の配列順序は特にありません。

(1) 特別利益

固定資産売却益	固定資産を売却した際に生じる利益

(2) 特別損失

固定資産売却損	固定資産を売却した際に生じる損失
固定資産災害損失	災害により固定資産が滅失等したことによる損失
役員退職慰労金	役員が退職した際に支払われる慰労金

損益計算書の当期純利益と貸借対照表の繰越利益剰余金との関係

貸借対照表の繰越利益剰余金は、おおよそ次のようにして求めます。

```
          期 首 繰 越 利 益 剰 余 金
     ＋  ①  損益計算書の当期純利益
     ＋  ②  任 意 積 立 金 の 取 崩 し
     －  ③  剰  余  金  の  配  当
     －  ④  任 意 積 立 金 の 積 立 て
          貸借対照表の繰越利益剰余金
```

問題 ▶▶▶ 問題編の**問題2～問題4**に挑戦しましょう！

8 : 経過勘定項目　計　Rank **A**

経過勘定項目とは

　経過勘定項目とは、継続的な役務（サービス）の提供または受入契約によって生じる**前払費用**、**前受収益**、**未払費用**、**未収収益**の4つの項目をいいます。

前払費用	一定の契約に従い、継続して役務の提供を受ける場合、いまだ提供されていない役務に対して支払われた対価をいう。 たとえば、利息の支払額のうち当期に属する分については支払利息として損益計算書に計上し、次期以降に係る分については前払費用として貸借対照表の資産の部に計上する。
前受収益	一定の契約に従い、継続して役務の提供を行う場合、いまだ提供していない役務に対して支払いを受けた対価をいう。 たとえば、利息の受取額のうち当期に属する分については受取利息として損益計算書に計上し、次期以降に係る分については前受収益として貸借対照表の負債の部に計上する。
未払費用	一定の契約に従い、継続して役務の提供を受ける場合、すでに提供された役務に対して、いまだその対価の支払いが終わらないものをいう。 たとえば、借入金に対する利息で利払日が次期に到来するため、決算日現在未払いであった場合、当期に属する分については支払利息として損益計算書に計上し、当該支払利息の未払分を未払費用として貸借対照表の負債の部に計上する。
未収収益	一定の契約に従い、継続して役務の提供を行う場合、すでに提供した役務に対して、いまだその対価の支払いを受けていないものをいう。 たとえば、貸付金に対する利息で利払日が次期に到来するため、決算日現在未収であった場合、当期に属する分については受取利息として損益計算書に計上し、当該受取利息の未収分を未収収益として貸借対照表の資産の部に計上する。

CHAPTER **5** 計算書類等

例題 経過勘定項目—利息の繰延べ

次の取引について、A社とB社の仕訳を示しなさい。

A社は5月1日に300千円をB社から借り入れた。

なお、返済期日は翌年4月30日であり、1年分の利息36千円は借入時に支払った。（9月決算）

解答
(仕訳の単位：千円)

1．A社（借入側）における支払利息の繰延べ

(1) 借入時

（現金及び預金）	300	（借　入　金）	300
（支　払　利　息）	36	（現金及び預金）	36

(2) 決算時

（前　払　利　息）	21*	（支　払　利　息）	21

$$* \quad 36千円 \times \frac{7カ月}{12カ月} = 21千円$$

〈表示（単位：千円)〉

損　益　計　算　書	
営　業　外　費　用	
支　払　利　息	15

貸　借　対　照　表	
流　動　資　産	
前　払　費　用	21

114

2．B社（貸付側）における受取利息の繰延べ

⑴　貸付時

（貸　　付　　金）	300	（現 金 及 び 預 金）	300
（現 金 及 び 預 金）	36	（受　取　利　息）	36

⑵　決算時

（受　取　利　息）	21	（前　受　利　息）	21*

$$* \quad 36千円 \times \frac{7カ月}{12カ月} = 21千円$$

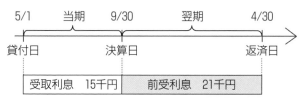

受取利息　15千円	前受利息　21千円

〈表示（単位：千円）〉

損 益 計 算 書	
営 業 外 収 益	
受 取 利 息	15

貸 借 対 照 表	
流 動 負 債	
前 受 収 益	21

A社（借入側）は、支払利息（費用）を当期において翌期分も支払っているので、翌期分は貸借対照表に前払費用（資産）として計上します。
B社（貸付側）は、受取利息（収益）を当期において翌期分も受け取っているので、翌期分は貸借対照表に前受収益（負債）として計上します。

CHAPTER **5**

計算書類等

経過勘定項目―利息の見越し
....

次の取引について、A社とB社の仕訳を示しなさい。

A社は5月1日に300千円をB社から借り入れた。

なお、返済期日は翌年4月30日であり、1年分の利息36千円は返済時に支払うこととした。（9月決算）

 解答

（仕訳の単位：千円）

1. **A社（借入側）における支払利息の見越し**

   (1) **借入時**

（現金及び預金）	300	（借　入　金）	300

   (2) **決算時**

（支　払　利　息）	15	（未　払　利　息）	15*

   $$* \quad 36千円 \times \frac{5カ月}{12カ月} = 15千円$$

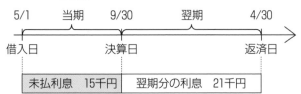

〈表示（単位：千円）〉

損　益　計　算　書	
営　業　外　費　用	
支　払　利　息	15

貸　借　対　照　表	
流　動　負　債	
未　払　費　用	15

2．B社（貸付側）における受取利息の見越し

(1)　**貸付時**

| （貸 付 金） | 300 | （現金及び預金） | 300 |

(2)　**決算時**

| （未 収 利 息） | 15 | （受 取 利 息） | 15 |

```
      5/1        当期      9/30       翌期       4/30
     ┝━━━━━━━━┿━━━━━━━━┿━━━━━━━━▶
      貸付日              決算日              返済日

        ┌──────────────┬──────────────┐
        │ 未収利息 15千円 │ 翌期分の利息 21千円 │
        └──────────────┴──────────────┘
```

〈表示（単位：千円）〉

損 益 計 算 書	
営 業 外 収 益	
受 取 利 息	15

貸 借 対 照 表	
流 動 資 産	
未 収 収 益	15

 借入側は、支払利息（費用）を翌期に支払うことにしているので、当期分は貸借対照表に未払費用（負債）として計上します。
貸付側は、受取利息（収益）を翌期に受け取ることにしているので、当期分は貸借対照表に未収収益（資産）として計上します。

▌▶ 表示科目と表示区分

　経過勘定項目における貸借対照表上の表示科目と勘定科目の関係、ならびに表示区分は次のようになります。

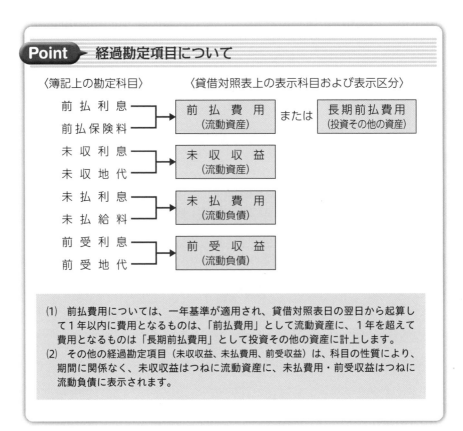

Point ▶ 経過勘定項目について

〈簿記上の勘定科目〉　　　〈貸借対照表上の表示科目および表示区分〉

前 払 利 息 ──┐
　　　　　　　├─▶ **前 払 費 用**（流動資産）　または　**長 期 前 払 費 用**（投資その他の資産）
前 払 保 険 料 ──┘

未 収 利 息 ──┐
　　　　　　　├─▶ **未 収 収 益**（流動資産）
未 収 地 代 ──┘

未 払 利 息 ──┐
　　　　　　　├─▶ **未 払 費 用**（流動負債）
未 払 給 料 ──┘

前 受 利 息 ──┐
　　　　　　　├─▶ **前 受 収 益**（流動負債）
前 受 地 代 ──┘

⑴　前払費用については、一年基準が適用され、貸借対照表日の翌日から起算して1年以内に費用となるものは、「前払費用」として流動資産に、1年を超えて費用となるものは「長期前払費用」として投資その他の資産に計上します。
⑵　その他の経過勘定項目（未収収益、未払費用、前受収益）は、科目の性質により、期間に関係なく、未収収益はつねに流動資産に、未払費用・前受収益はつねに流動負債に表示されます。

例題 **経過勘定項目―長期前払費用（一年基準）**

次の取引について、A社とB社の仕訳を示しなさい。

A社は5月1日に300千円をB社から借り入れた。

なお、返済期日は翌々年4月30日であり、2年分の利息72千円は借入時に支払った。（9月決算）

解答 （仕訳の単位：千円）

1．A社（借入側）における支払利息の繰延べ

(1) 借入時

(現金及び預金)	300	(借　入　金)	300
(支　払　利　息)	72	(現金及び預金)	72

(2) 決算時

(前　払　利　息)	57*¹	(支　払　利　息)	57
(長 期 前 払 利 息)	21*²	(前　払　利　息)	21

* 1　$72千円 \times \dfrac{19カ月}{24カ月} = 57千円$

* 2　$57千円 \times \dfrac{19カ月 - 12カ月}{19カ月} = 21千円$

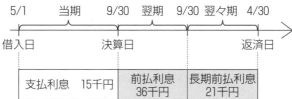

支払利息　15千円	前払利息 36千円	長期前払利息 21千円

〈表示（単位：千円）〉

損 益 計 算 書
営 業 外 費 用
支 払 利 息　15

貸 借 対 照 表
流 動 資 産
前 払 費 用　36
固 定 資 産
長 期 前 払 費 用　21

2. B社（貸付側）における受取利息の繰延べ

(1) 貸付時

（貸　付　金）	300	（現金及び預金）	300
（現金及び預金）	72	（受　取　利　息）	72

(2) 決算時

（受　取　利　息）	57	（前　受　利　息）	57*

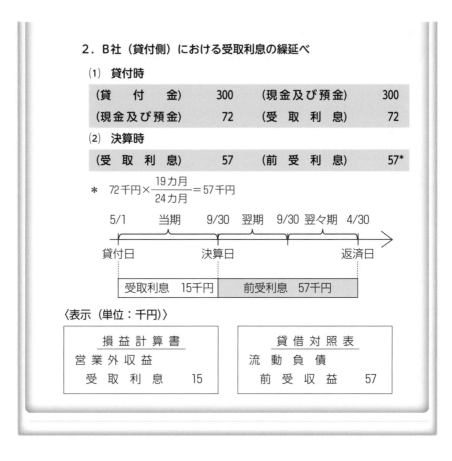

* $72千円 \times \dfrac{19カ月}{24カ月} = 57千円$

| 5/1 | 当期 | 9/30 | 翌期 | 9/30 | 翌々期 | 4/30 |

貸付日　　　　　　決算日　　　　　　　　　　返済日

受取利息　15千円　　　前受利息　57千円

〈表示（単位：千円）〉

損　益　計　算　書
営 業 外 収 益
受　取　利　息　　　15

貸　借　対　照　表
流　動　負　債
前　受　収　益　　　57

問題 >>> 問題編の**問題5**に挑戦しましょう！

9：注記表の概要

▌注記表の概要 🚩

　会社計算規則では、貸借対照表や損益計算書の本文に記載された数値や項目またはこれに関連する事項を説明するために注記の記載を定めており、これを一覧表にした**注記表**が計算書類等の体系に含まれています。

　会社計算規則では、次の注記事項について記載を要求しています。

	注記事項の名称	注記事項の概要
①	継続企業の前提に関する注記	事業年度末日において、会社が将来にわたって事業を継続する前提に重要な疑義があり、かつ重要な不確実性が認められる場合の注記
②	**重要な会計方針に係る事項に関する注記**	計算書類の作成のために採用している会計方針に関する注記
③	会計方針の変更に関する注記	計算書類の作成のために採用した会計方針を変更した場合の注記
④	表示方法の変更に関する注記	計算書類の作成のために採用した表示方法を変更した場合の注記
⑤	会計上の見積りに関する注記	会計上の見積りについて翌年度の計算書類に重要な影響を及ぼす可能性に関する注記
⑥	会計上の見積りの変更に関する注記	計算書類の作成にあたっての会計上の見積りの変更を行った場合の注記
⑦	誤謬の訂正に関する注記	過去の誤謬の訂正を行った場合の注記
⑧	**貸借対照表等に関する注記**	貸借対照表等に記載される項目に関する注記
⑨	**損益計算書に関する注記**	損益計算書に記載される項目に関する注記
⑩	**株主資本等変動計算書に関する注記**	株主資本等変動計算書に記載される項目に関する注記
⑪	**税効果会計に関する注記**	税効果会計を適用した場合に必要となる注記

CHAPTER **5** 計算書類等

⑫	リースにより使用する固定資産に関する注記	ファイナンス・リース取引を行った会社が賃貸借処理を行った場合に必要となる注記
⑬	金融商品に関する注記	金融商品の時価などの、金融商品の状況に関する注記
⑭	賃貸等不動産に関する注記	賃貸等不動産の時価などの、賃貸等不動産の状況に関する注記
⑮	持分法損益等に関する注記	連結計算書類を作成しない場合における持分法損益等に関する注記
⑯	関連当事者との取引に関する注記	会社の主要株主などの関連当事者と重要な取引をした場合に必要となる注記
⑰	**1株当たり情報に関する注記**	1株当たり当期純利益などの普通株主に関する注記
⑱	重要な後発事象に関する注記	事業年度末日後に発生した会社に重要な影響を及ぼす事項に関する注記
⑲	連結配当規制適用会社に関する注記	分配可能額算定における連結配当規制の規定の適用を受けた会社に関する注記
⑳	収益認識に関する注記	収益の分解情報や収益を理解するための基礎となる情報などの注記
㉑	その他の注記	上記に掲げたもののほか、会社の財産または損益の状態を正確に判断するために必要な注記

計算上、重要性が高いのは、②、⑧、⑨、⑩、⑪、⑰です。
なお、③に関しては財務諸表論4で詳しくみていきます。

▶ 重要な会計方針に係る事項に関する注記

会計方針とは、財務諸表の作成にあたって採用した会計処理の原則および手続をいいます。

会社計算規則では、計算書類の作成のために採用している重要な会計方針について、注記することを要求しています。

たとえば、有形固定資産の減価償却の方法としては、定額法、定率法など、いくつかの方法が認められており、その中から１つを採用することになります。仮に、当社が定率法を採用した場合においては、この定率法が当社の減価償却における会計方針となります。

内　　容	文　　例
有価証券の評価基準および評価方法	①　売買目的有価証券は時価法（評価差額は切放方式により処理し、売却原価は総平均法により算定）により評価しております。 ②　市場価格のあるその他有価証券は決算期末日の市場価格等に基づく時価法（評価差額は全部純資産直入法により処理し、売却原価は移動平均法により算定）により評価しております。
棚卸資産の評価基準および評価方法	商品は先入先出法による原価法（収益性の低下による簿価切下げの方法）により評価しております。
有形固定資産の減価償却の方法	定額法を採用しております。主な耐用年数は次のとおりです（リース資産を除く）。 建物及び構築物　　15～40年 機械及び装置　　　10年 賃貸店舗用設備　　6～10年
無形固定資産の償却の方法	①　のれんは15年間の定額法により償却しております。 ②　商標権は10～30年の定額法により償却しております。 ③　自社利用のソフトウェアは社内における利用可能期間（5年）による定額法で償却しております。
繰延資産の処理方法	①　株式交付費は全額支出時の費用として処理しております。 ②　開発費は5年間で定額法により償却しております。
外貨建の資産及び負債の本邦通貨への換算基準	外貨建金銭債権債務は、決算日の直物為替相場により円貨に換算し、換算差額は損益として処理しております。
引当金の計上基準	引当金の計上基準は次のとおりであります。 ①　貸倒引当金は債権の貸倒れによる損失に備えるため、債権の区分に応じ、以下のように設定しております。

CHAPTER **5**

計算書類等

	一般債権は貸倒実績率法により、過去の貸倒実績率に基づき、期末残高の2％を計上しております。
	貸倒懸念債権は財務内容評価法により、担保の処分見込額を控除した残額の50％を計上しております。
	破産更生債権等は財務内容評価法により、保証による回収見込額を控除した残額の全額を計上しております。
	②　賞与引当金は従業員に対して支給する賞与の支出に充てるために、従業員給与規程に基づく賞与支給対象期間のうち、当期に対応する支給見込額を計上しております。
	③　債務保証損失引当金は、債務保証の履行可能性が高くなったため、翌期における代理弁済見込額の全額を計上しております。
収益及び費用の計上基準	顧客との契約から生じる収益に関する主な履行義務の内容及び当該履行義務を充足する通常の時点（収益を認識する通常の時点）は、以下のとおりであります。 小売業 　店舗における商品の販売に係る収益は、顧客との販売契約に基づいて商品を引き渡す履行義務を負っております。当該履行義務は、商品を引き渡す一時点において、顧客が当該商品に対する支配を獲得して充足されると判断し、引渡時点で収益を認識しております。 　通信販売による商品の販売に係る収益は、出荷時から商品の支配が顧客に移転される時までの期間が通常の期間であるため、出荷時に収益を認識しております。 　当社が代理人として商品の販売に関与している場合には、純額で収益を認識しております。 保守サービス 　保守サービスに係る収益は、顧客との保守契約に基づいて保守サービスを提供する履行義務を負っております。当該保守契約は、一定の期間にわたり履行義務を充足する取引であり、履行義務の充足の進捗度に応じて収益を認識しております。
その他の重要な会計方針	消費税等の会計処理は税抜方式によっております。

124

▍会計上の見積りに関する注記

　会計上の見積りは、財務諸表作成時に入手可能な情報に基づいて合理的な金額を算出するものですが、見積りの方法や、見積りの基礎となる情報が財務諸表作成時にどの程度入手可能であるかはさまざまなので、財務諸表に計上する金額の不確実性の程度もさまざまです。

　したがって、財務諸表に計上した金額のみでは、当該金額が含まれる項目が翌年度の財務諸表に影響を及ぼす可能性があるかどうかについて、財務諸表利用者が理解することは困難です。

　このため、会計上の見積りによって計上した当年度の財務諸表の金額のうち、翌年度の財務諸表に重要な影響を与えるリスクがあるものについては、財務諸表の利用者の意思決定に役立つ情報を提供するために会計上の見積りの内容を注記します。

(1)　開示する項目の識別

　当年度の財務諸表に計上した金額が会計上の見積りによるもののうち、翌年度の財務諸表に重要な影響を及ぼすリスクがある項目を識別します。

　識別する項目は、通常、当年度の財務諸表に計上した**資産**及び**負債**です。

(2)　注記

　識別した項目について、次の内容を注記します。

---

① 識別した会計上の見積りの内容を表す項目名
② 当年度の財務諸表に計上した金額
③ 会計上の見積りの内容について財務諸表利用者の理解に資するその他の情報*
＊たとえば、当年度の財務諸表に計上した金額の算出方法、当年度の財務諸表に計上した金額の算出に用いた主要な仮定、翌年度の財務諸表に与える影響など

▶ 貸借対照表等に関する注記

　貸借対照表等に記載される数値や項目について、補足的な財務情報を記載するものです。

　会社計算規則では、次の事項の記載を要求しています。

---

①　資産が担保に供されている場合、資産が担保に供されている旨、資産の内容及びその金額、担保に係る債務の金額

②　資産に係る引当金を直接控除した場合、各資産の資産項目別の引当金の金額

③　資産に係る減価償却累計額を直接控除した場合、各資産の資産項目別の減価償却累計額

④　資産に係る減損損失累計額を減価償却累計額に合算して減価償却累計額の項目をもって表示した場合、減価償却累計額に減損損失累計額が含まれている旨

⑤　保証債務、手形遡求債務、重要な係争事件に係る損害賠償義務その他これらに準ずる債務（負債の部に計上したものを除く）があるときは、当該債務の内容及び金額

⑥　関係会社に対する金銭債権債務について、他の金銭債権債務と区分して表示していない場合、当該関係会社に対する金銭債権又は金銭債務の項目別金額又は2以上の項目について一括した金額

⑦　取締役、監査役及び執行役との間の取引による取締役、監査役及び執行役に対する金銭債権債務がある場合、金銭債権又は金銭債務ごとの総額

⑧　親会社株式の各表示区分別の金額

⑨　圧縮記帳の表示方法につき、直接控除法により表示している場合、有形固定資産から控除されている旨（企業会計原則注解【注24】類推）

▶ 損益計算書に関する注記

　損益計算書に記載される数値や項目について、補足的な財務情報を記載するものです。

　会社計算規則では、次の事項の記載を要求しています。

> ①　関係会社との営業取引による取引高の総額及び営業取引以外の取引による取引高の総額

株主資本等変動計算書に関する注記

　株主資本等変動計算書に記載される数値や項目について、補足的な財務情報を記載するものです。

　会社計算規則では、次の事項の記載を要求しています。

> ①　当該事業年度の末日における発行済株式の数
> ②　当該事業年度の末日における自己株式の数
> ③　当該事業年度中に行った剰余金の配当に関する事項
> ④　当該事業年度の末日後に行う剰余金の配当に関する事項
> ⑤　当該事業年度の末日における当該株式会社が発行している新株予約権の目的となる当該株式会社の株式の数

税効果会計に関する注記

　税効果会計について、補足的な財務情報を記載するものです。

　会社計算規則では、次の事項の記載を要求しています。

> ①　繰延税金資産又は繰延税金負債の発生の主な原因

1株当たり情報に関する注記

　1株当たり情報を記載するものです。

　会社計算規則では、次の事項の記載を要求しています。

> ①　1株当たり純資産額
> ②　1株当たりの当期純利益金額又は当期純損失金額

CHAPTER 6

損益会計総論

　会計の目的は、ひとことでいうと「適正な期間損益計算」にあるといえます。

　特に企業会計原則に準拠した会計理論では、もっとも重要な観点といえます。

　ここでは、収益・費用の認識と測定について詳しくみていきましょう。

損益会計

損益会計総論

≫ 収益と費用を計上するためのルールを学びます。

学習
スケジュール

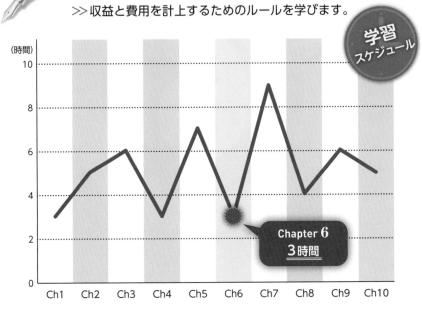

Check List

☐ 期間損益計算の意義を理解しているか？
☐ 現金主義会計と発生主義会計を理解しているか？
☐ 発生主義会計の特徴を理解しているか？
☐ 収益・費用の認識原則と認識基準を理解しているか？
☐ 収益・費用の測定を理解しているか？

Link to ▶ 簿記論① **Chapter2 一般商品売買 1**

　このChapterは、理論のみなので簿記論では問われませんが、損益会計の総論で
あり、ここでの理解はのちに計算問題を解く際に、非常に重要となってきますので、
しっかり学習しましょう。

1：期間損益計算とは

理

▶ 期間損益計算の意義 🚩

期間損益計算とは、継続企業を前提として、人為的に区切られた期間ごとに損益を計算する方法をいいます。

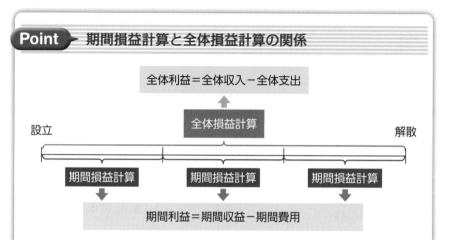

Point ▶ 期間損益計算と全体損益計算の関係

全体利益＝全体収入－全体支出

全体損益計算

設立 ← → 解散

期間損益計算　　期間損益計算　　期間損益計算

期間利益＝期間収益－期間費用

かつての会社は「解散」を前提とした会計を行っていました。この場合、一会計期間は１年ではなく、設立から解散に至るまでの全期間となります。これを全体損益計算といいます。

一方、現在の会社はいつまでも「継続」するものと考えられています。しかし、会社が無限に続くのではいつまでたっても損益計算ができません。そこで、便宜的に１年間を一会計期間とすることにしたのが期間損益計算です。

なお、期間利益の総和が必ず全体利益に一致する性質を**一致の原則**といいます。

2：期間利益の性質 理

収益・費用の「認識」

認識とは、収益および費用の期間帰属、すなわちどの会計期間に属するかを決定することをいいます。

 収益・費用の認識は、「いつ計上するのか？」と理解しておきましょう。

Point　2種類の認識時点

認識のタイミングには2つの考え方があります。ひとつは、現金が企業から出入りしたとき（現金主義）、もうひとつは、経済価値が増減したとき（発生主義）です。

現金主義の原則		現金主義の原則とは、現金収支に基づいて収益・費用を認識する原則をいう。
	現金主義会計	現金主義会計とは、現金主義の原則に基づいて収益・費用を認識し、両者の差額として利益を計算する会計体系をいう。
発生主義の原則		発生主義の原則とは、経済価値の増減に基づいて収益・費用を認識する原則をいう。
	発生主義会計	発生主義会計とは、発生主義の原則に基づいて収益・費用を認識し、両者の差額として利益を計算する会計体系をいう。

現金主義会計から発生主義会計へ

　①信用経済の発展、②棚卸資産在庫の恒常化、③固定設備資産の増大など、経済社会の変化とともに、会社も大規模化してきました。これにともない、より正確に会社の業績を評価するために、現金主義会計は発生主義会計に移行しました。

期間利益の2つの性質

　一般に、期間利益には、**尺度性**と**処分可能性**の2つの性質があります。

　そもそも、期間利益の定義は収益と費用の差額とされていますので、収益と費用が尺度性と処分可能性を満たせば、利益もこの2つの性質を満たすようになるという関係にあります。

尺　度　性 （業績性）	期間利益で一定期間の企業活動の良否を判断しようとするものであり、期間利益が企業成果の指標としての機能を果たしうる性質をいう。
処分可能性	資本維持の観点から導かれる性質であり、期間利益は期末資本在高のうち維持すべき資本を超える部分として規定される。したがって、期間利益は、それを処分しても維持すべき資本は侵害されないという性質をいう。

期間利益に過去からの留保利益を加えた期末の繰越利益剰余金についても、処分可能性が認められます。

問題 ▶▶▶ 問題編の**問題1〜問題2**に挑戦しましょう！

3：企業会計原則における発生主義会計 理

企業会計原則の各種用語

　企業会計原則における伝統的な発生主義会計は、**実現主義の原則**、**発生主義の原則**、**費用収益対応の原則**の３つにより特徴づけられます。

> 発生主義は実質的に費用の認識原則のみを表し、発生主義会計は実現主義・発生主義・費用収益対応の原則の３つを総称しているところに注意が必要です。費用の認識原則については**5：企業会計原則における費用の認識**で学習します。

発 生 主 義 の 原 則	費用を、発生の事実に基づいて計上することを要請する認識原則をいう。
実 現 主 義 の 原 則	収益を、実現の事実に基づいて計上することを要請する認識原則をいう。
費用収益対応の原則	発生した費用のうち、期間収益に対応するものを限定し、期間費用の決定を要請する原則をいう。

Point 企業会計原則における発生主義会計の全体像

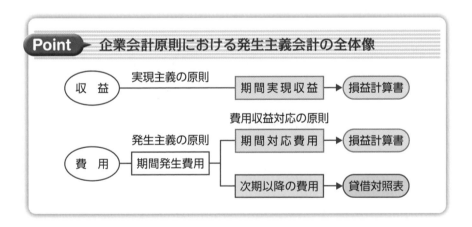

CHAPTER
6

損益会計総論

企業会計原則に準拠した発生主義会計では、処分可能利益の計算という制約を受けながらも、その枠内でできるだけ正確な期間損益計算を行おうとしています。

プラス
α

発生主義の優位性

　投資活動の成果を適切に把握するためには、本来、発生主義により収益を認識することが望ましいといえます。

　なぜなら、発生主義により収益認識を行えば、現金の収入事実にかかわりなく、経済価値の増加という事実に基づいて認識することができるからです。

　このため、企業活動の結果表れる経済価値の増加とそのための努力として表れる経済価値の減少が適正に対応し、各会計期間における企業の投資活動の成果を適切に把握することができます。

現在、（顧客との契約から生じる）収益の認識・測定は収益認識基準に基づいて行うことになっています。これにともない、「実現主義」という表現は使われなくなりました。現状では、実現主義と収益認識基準の関係は不明確であるため、現行の制度会計について論じるときは「実現主義」という言葉は使わない方がよいでしょう。なお、収益認識基準には「約束した財又はサービスの顧客への移転を当該財又はサービスと交換に企業が権利を得ると見込む対価の額で描写するように、収益を認識する」という原則が定められています。これが現行制度上の収益認識原則ということになりますが、特に名称はついていないようです。

[問題] >>> 問題編の**問題3**に挑戦しましょう！

4 : 企業会計原則における収益の認識 理

収益の認識原則

　伝統的な発生主義会計のもとでは、収益は**実現主義の原則**により認識されます。**実現主義の原則**とは、収益を実現の事実に基づいて計上することを要請する収益の認識原則をいいます。

実現の事実	① 財貨・役務の引渡しおよび提供
	② 対価としての貨幣性資産の受領

> 企業会計原則　損益計算書原則三 B
> 　売上高は、実現主義の原則に従い、商品等の販売又は役務の給付によって実現したものに限る。(以下、省略)

収益認識に関する会計基準を適用している企業では、営業活動から生じる収益（売上）について、実現主義ではなく、収益認識に関する会計基準に基づく考え方が採用されます。収益認識に関する会計基準は、**Chapter7** で学習します。なお、本試験では、問題文の指示に従ってどちらの考え方に基づいて解答すべきか判断しましょう。

Point 実現主義の採用根拠

　実現主義の採用根拠には次の 2 つがあります。
① 企業会計原則の収益認識では、収益力の算定・表示だけでなく、処分可能性まで算定・表示しなければならない。
② 確実性や客観性を満たすことができる。

	現金主義会計	発生主義会計	企業会計原則の発生主義会計
処分可能性	◎ （確保できる）	× （確保できない）	○ （比較的確保できる）

尺　度　性 （業績性）	× （確保できない）	◎ （確保できる）	○ （比較的確保できる）
確実性・ 客観性	◎ （確保できる）	× （確保できない）	○ （比較的確保できる）

実現主義の採用について

　発生主義によって認識される収益は、その経済価値の増加に基づいて認識されることから、主観的な見積りによる収益計上となり、その価値の増加を客観的に測定することはできません。

　また、企業会計原則においては、算出利益は処分可能利益でなければならないという制約がありますが、発生主義により収益を計上すると処分可能性のない利益、すなわち未実現の利益を計上してしまうおそれがあります。

　そのため、収益の認識については、処分可能利益を算出できる実現主義によることとされました。

　また、実現主義によれば、確実性や客観性を満たすことができます。

　確実性とは経済価値の増加が確定したことを意味し、その経済価値の増加が、後日取り消されたり修正されたりしない、恒久的事実としての資質を備えていることを意味しています。

　そして、客観性とは、対価の成立を意味し、収益の実現による経済価値の増加額が証明力のある客観的な事実に基づいて認識されていることを意味しています。

問題　>>>　問題編の**問題4**に挑戦しましょう！

5：企業会計原則における費用の認識 理

費用の認識原則 🚩

　費用は**発生主義**により認識されますが、実際に損益計算書に計上される金額は、**費用収益対応の原則**に基づき、収益に対応したもののみとなります。

　費用収益対応の原則とは、発生した費用のうち、当期に計上すべき収益に対応するものに限定して、期間対応費用とする原則のことをいいます。

 費用収益対応の原則は、処分可能利益の計算という制約を受けながらも、その枠内において、できるだけ正確な期間損益計算を行うために採用されています。

Point ▶ 費用収益の対応形態

　収益獲得のために犠牲となった費用を個別に跡づけできるか否かで2種類の対応形態が生まれます。

個別的対応 (直接的対応)	商品または製品を媒介とする収益と費用との直接的対応
期間的対応 (間接的対応)	会計期間を媒介とする収益と費用との間接的対応

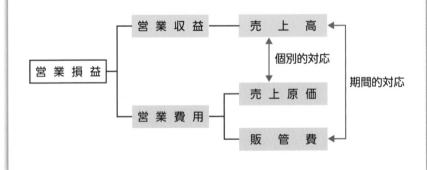

損益計算書は、企業の経営成績を明らかにするため、一会計期間に属するすべての収益とこれに対応するすべての費用とを記載して経常利益を表示し、これに特別損益に属する項目を加減して当期純利益を表示しなければならない。

費消原因事実の発生

一般に、費用の発生とは、財貨または用役の費消と、それと同時に生じてくると推定される経済価値の減少を意味します。

しかし、財貨または用役の費消が生じていなくても、その原因事実の発生をもって経済価値の減少を把握しようとする考え方があります。これを費消原因事実の発生といいます。

たとえば、貸倒引当金、製品保証引当金、修繕引当金などの引当金項目はこの費消原因事実の発生により計上されます。

費消と消費は同様の意味ですが、費消は企業が何かを使って価値が減少したときに使われることが多いです。

問題 >>> 問題編の**問題5**に挑戦しましょう！

6：企業会計原則における測定 理

▶ 収益・費用の測定

認識された収益・費用は、「測定」により金額が割り振られます。企業会計原則（制度）では、収支額基準により測定されます。

収支額基準とは、収支額に基づいて収益や費用の額を測定する基準のことをいいます。

収益・費用の測定は、「いくら計上するのか？」と理解しておきましょう。

Point 費用配分の原則と収支額基準との関係

費用の測定は、収支額基準に加えて、費用配分の原則を適用して行われます。

費用配分の原則とは、資産または将来の支出が数期間にわたって費用化されている場合に、各会計期間の費用の測定にあたって、当該資産に対する過去の支出額または将来の支出額を配分する原則です。

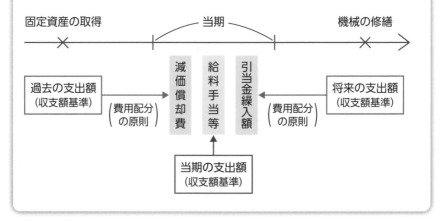

収益および費用の測定に収支額基準が採用されている理由としては、算出する
利益が処分可能利益でなければならないことや、収支額基準によれば、確実性
や客観性を満たすことができるということがあげられます。

S 純粋な発生主義による測定

発生主義会計は、経済価値が増減したときに収益・費用
を認識する方法ですよね。ならば、理屈から言うと時価
に基づいた金額で測定すべきではないでしょうか？

純粋な発生主義の場合は、そのとおりです。もちろん、理論上は
時価に基づいて測定すべきなんだけど、現実問題として信頼性の
高い時価を入手できません。これに対して、現金収支は第三者と
の取引に基づいているため信頼性が高いのです。
企業会計原則における発生主義会計では、測定は収支額基準で
行っていると考えてください。

収支額基準でいう「収支額」が、単に当期の収支額だけ
でなく、過去の収支額および将来の収支額を含む、広義
の収支額であるといわれる理由がわかりました。

問題 >>> 問題編の**問題6**に挑戦しましょう！

CHAPTER 7

収益認識に関する会計基準

ここでは、収益認識に関する会計基準について学びます。収益認識に関する会計基準が適用される企業では、営業活動にともなう収益（売上高など）の処理方法について、企業会計原則の実現主義の考え方ではなく、当該基準の考え方により処理することになります。

基本的な知識は理解しておきましょう。

損益会計

収益認識に関する会計基準

>> 実現主義に代わる考え方です。

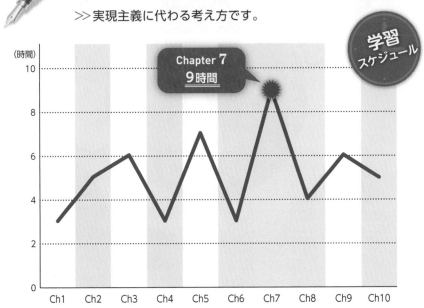

学習
スケジュール

Chapter **7**
9時間

(時間)
10
8
6
4
2
0

Ch1　Ch2　Ch3　Ch4　Ch5　Ch6　Ch7　Ch8　Ch9　Ch10

Check List

☐ 収益認識に関する会計基準の基本となる原則、5ステップを理解しているか？
☐ 顧客との契約の識別について理解しているか？
☐ 履行義務の識別について理解しているか？
☐ 取引価格の算定（変動対価、重要な金融要素を含む）について理解しているか？
☐ 取引価格の配分について理解しているか？
☐ 収益の認識について理解しているか？
☐ 本人と代理人の区分について理解しているか？
☐ 契約資産・契約負債について理解しているか？

Link to ▶ 簿記論① **Chapter5~7 収益認識基準１～３**

簿記論では計算問題として出題されやすい論点を中心に掲載しています。

1：収益認識に関する会計基準の概要 [理]

収益認識に関する会計基準とは

収益認識に関する会計基準とは、**顧客との契約から生じる収益**に関する会計処理を定めた基準です。

収益認識に関する会計基準の適用対象企業は、金融商品取引法適用会社や会社法上の大会社などの会社法会計監査の対象法人であり、中小企業は、任意適用となっています。したがって、本試験では収益認識に関する会計基準を適用しているか否かの指示があると考えられます。

収益認識に関する会計基準の範囲

収益認識に関する会計基準の適用範囲は、顧客との契約から生じる収益（企業の通常の営業活動から生じる収益）です。そのため、事業用の固定資産の売却取引などの、通常の営業活動以外の取引から生じる収益は、収益認識に関する会計基準の適用範囲外となります。

顧客との契約から生じる収益であっても、金融商品会計基準の範囲に含まれる金融商品に係る取引や、リース会計基準の範囲に含まれるリース取引などは適用範囲から除外されています。

収益認識に関する会計基準の基本となる原則 🚩

収益認識に関する会計基準では、約束した財又はサービスの顧客への移転を、当該財又はサービスと交換に企業が権利を得ると見込む対価の額で描写するように、収益を認識することを基本的な原則としています。

要するに、商品売買における売上高やサービスの提供による収益などの営業活動にともなう収益を、経済活動の実情に合うように計上していきましょうというものです。

収益認識に関する会計基準の開発にあたっての方針

　収益認識に関する会計基準では、国内外の企業間における財務諸表の比較可能性の観点から、国際会計基準の定めを基本的にすべて取り入れるとともに、日本での適用上の課題に対処するために、国際的な比較可能性を大きく損なわせない範囲で代替的な取扱い（重要性等に関する代替的な取扱い）が追加的に定められています。

▶ 収益を認識するための5つのステップ 🚩

　収益認識に関する会計基準では、基本となる原則に従って収益を認識するために、次の5つのステップが適用されます。

- ・ステップ1：**顧客との契約**を識別する。
- ・ステップ2：契約における**履行義務**を識別する。
- ・ステップ3：**取引価格**を算定する。
- ・ステップ4：契約における**履行義務に取引価格を配分**する。
- ・ステップ5：**履行義務を充足した時**に又は**充足するにつれて収益を認識**する。

顧　　客	対価と交換に、企業の**通常の営業活動**により生じたアウトプットである財又はサービスを得るために当該企業と契約した当事者
契　　約	**法的な強制力のある権利および義務を生じさせる**複数の当事者間における取り決め（書面だけでなく、口頭、取引慣行等による黙示の約束も、契約になり得る）
履行義務	顧客との契約において、財又はサービスを顧客に移転する約束
取引価格	財又はサービスの顧客への移転と交換に企業が権利を得ると見込む対価の額（ただし、第三者のために回収する額を除く）

CHAPTER 7

収益認識に関する会計基準

Point 収益を認識するための5ステップ

取引例：当社は当期首に標準的な商品Xの販売と2年間の保守サービスを12,000千円で提供する契約を締結した。商品Xは当期首に引き渡し、保守サービスは当期首から翌期末まで行う。

ステップ1	対象となる顧客との契約を識別する。
	顧客との契約は、商品Xの販売契約と保守サービス契約であると識別する。
ステップ2	収益を計上するためにどのような義務や約束事があるのかを特定する。
	「商品Xの引渡」と「保守サービスの提供」のそれぞれを履行義務として識別する。
ステップ3	収益計上額の基礎となる金額（取引価格）を算定する。
	商品Xの引渡と保守サービスの提供に対する取引価格を12,000千円と算定する。
ステップ4	識別した履行義務に取引価格を配分する。
	取引価格12,000千円をそれぞれの履行義務に配分し、商品Xへの配分額を10,000千円、保守サービスへの配分額を2,000千円と算定する。
ステップ5	履行義務を果たした特定の時点、または履行義務を一定の期間にわたって果たしていく場合は義務を果たすにつれて、収益を計上する。
	商品Xへの配分額10,000千円は履行義務を充足した時（当期首）に収益を認識し、保守サービスへの配分額2,000千円は履行義務を充足するにつれて（当期首から翌期末までの2年間にわたって）収益を認識する。

上記の5つのステップのうち、特に「ステップ3（取引価格の算定）」と「ステップ5（収益の認識）」が重要です。

2：顧客との契約の識別

理 Rank A

▶ 顧客との契約の識別（ステップ1）🚩

⑴ 顧客との契約の識別

　収益認識会計基準における「契約」とは、「法的な強制力のある権利及び義務を生じさせる複数の当事者間における取決め」をいい、次のすべての要件を満たすものが該当します。当該要件を満たす契約について収益認識基準を適用します。

---

① 当事者が、書面、口頭、取引慣行等により契約を承認し、それぞれの義務の履行を約束していること
② 移転される財又はサービスに関する各当事者の権利を識別できること
③ 移転される財又はサービスの支払条件を識別できること
④ 契約に経済的実質があること（すなわち、契約の結果として、企業の将来キャッシュ・フローのリスク、時期又は金額が変動すると見込まれること）
⑤ 顧客に移転する財又はサービスと交換に企業が権利を得ることとなる対価を回収する可能性が高いこと

書面だけではなく、口頭、取引慣行等による約束も、識別される契約になり得る点に注意しましょう。

⑵ 顧客との契約が契約締結時点で識別要件を満たさない場合

　事後的に識別要件を満たした時点で収益認識基準を適用します。

　ただし、契約の識別要件を満たさない状況で顧客から対価を受け取った際に、返金不要等の要件（次のいずれか）に該当する場合には、収益を認識します。

---

① 財などを顧客に移転する残りの義務がなく、約束した対価のほとんどすべてを受け取っていて、顧客への返金は不要であること
② 契約が解約されており、受け取った対価の返金は不要であること

上記のいずれにも該当しない場合は、いずれかに該当するまで、または契約の識別要件が満たされるまで、顧客から受け取った対価は負債として認識します。

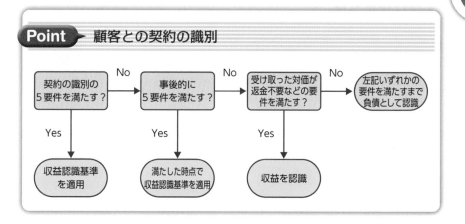

Point ▶ 顧客との契約の識別

契約の結合

同一の顧客と同時（またはほぼ同時）に締結した複数の契約について、次の①〜③のいずれかに該当する場合には、それらを結合し、1つの契約とみなして処理します。

> ① 当該複数の契約が同一の商業的目的を有するものとして交渉されたこと
> ② 1つの契約において支払われる対価の額が、他の契約の価格又は履行により影響を受けること
> ③ 当該複数の契約において約束した財又はサービスが、単一の履行義務となること

契約を結合した場合、取引価格の算定は結合した契約単位で行いますが（ステップ3）、算定された取引価格は履行義務へ配分されるため（ステップ4）、収益の認識は履行義務単位で行います（ステップ5）。

3：履行義務の識別

履行義務とは

　企業は、顧客との契約によって、対価と交換に財やサービスを提供します。履行義務とは、契約で義務付けられたこれらの**財やサービスを顧客に移転**する約束のことです。ステップ2ではこの履行義務の内容を明確にします。

　手順としては、移転する財又はサービスを評価して、これに係る履行義務を識別します。

> 財の引渡しやサービスの提供だけではなく、無料の配送サービスやポイントサービスなど、契約に複数の履行義務が含まれていることもあります。実務上はさまざまな契約がありうるため、企業はこれらの履行義務を適切に識別する必要があります。

履行義務の識別（ステップ2）

　契約における取引開始日に、顧客との契約で約束した財又はサービスを評価して、以下のいずれかを顧客に移転する約束のそれぞれについて、履行義務として識別します。

・**別個**の財又はサービス（あるいは**別個**の財又はサービスの**束**）

・**一連の別個**の財又はサービス（特性が実質的に同じで、顧客への移転のパターンが同じである複数の財又はサービス）

> 「別個の」とは独立しているというニュアンスです。財やサービスが1つしかない場合は、その履行義務を識別します。
> 複数の財やサービスがある場合、それらを評価（分析）して、「別個」のものに分けられるか、あるいは「一連の別個」のものか判別します。「別個」の例としては商品の引渡と保守サービスの提供、「一連の別個」の例としては1週間の清掃作業などがあげられます。「別個の束」は複数の財又はサービスが結合して1つの単位になっているものです。

(1) 別個の財又はサービス

顧客に約束した財又はサービスが、次のいずれも満たす場合は、**別個のもの**とします。

> ・財又はサービスから、単独で（あるいは、顧客が容易に利用できる他の資源と組み合わせて）顧客が便益を享受できること
> ・財又はサービスを顧客に移転する約束が、契約に含まれる他の約束と区分して識別できること（財又はサービスを移転する約束が契約の観点において別個のものとなること）

実務的な内容ですが、「別個の財又はサービスの束」という単位もあります。この場合、複数の財又はサービスをまとめて、1つの履行義務として扱います。端的にいうと、場合によっては複数の財又はサービスを、それぞれ別個のものとして提供する可能性もあるけれど、今回はまとめて1つのものとして扱うことが適切であるケースです。例としては、レストランの定食（主食、主菜、小鉢、飲物など）、一棟の建物の建設（設計、基礎工事、躯体建設、水回りの工事、電気設備の施工などから成る）などが挙げられます。

約束した財又はサービスが別個のものでない場合は（例：一棟の建物の建設における水回りの工事）、「別個の財又はサービスの束」を識別するまで、当該財又はサービスを、他の約束した財又はサービスと結合して、判定を繰り返します。

(2) 一連の別個の財又はサービス

複数の財又はサービスが、次のいずれも満たす場合は、**一連の別個のもの**とします。

> ・一連の別個の財又はサービスのそれぞれが、一定の期間にわたり充足される履行義務の要件を満たすこと
> ・履行義務の充足に係る進捗度の見積りに、同一の方法が使用されること

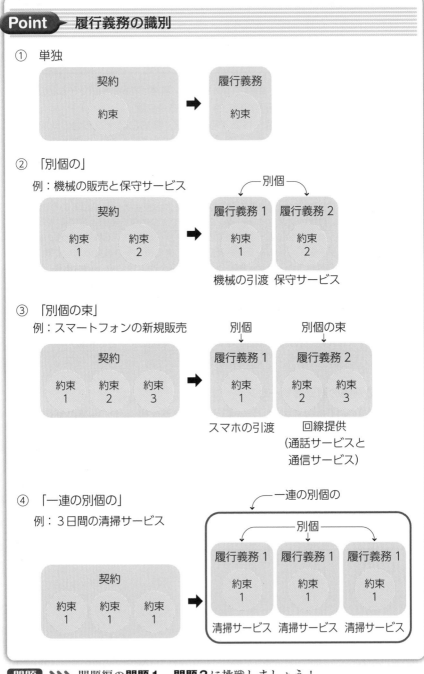

① 単独

契約

約束 ➡ 履行義務

約束

② 「別個の」

例：機械の販売と保守サービス

契約

約束1 約束2

➡ 別個

履行義務1 履行義務2

約束1 約束2

機械の引渡 保守サービス

③ 「別個の束」

例：スマートフォンの新規販売

契約

約束1 約束2 約束3

➡ 別個 別個の束

履行義務1 履行義務2

約束1 約束2 約束3

スマホの引渡 回線提供
（通話サービスと
通信サービス）

④ 「一連の別個の」

例：3日間の清掃サービス

契約

約束1 約束1 約束1

➡ 一連の別個の

別個

履行義務1 履行義務1 履行義務1

約束1 約束1 約束1

清掃サービス 清掃サービス 清掃サービス

問題 ≫≫ 問題編の**問題1**～**問題3**に挑戦しましょう！

152

4 : 取引価格の算定

理

▶ 取引価格とは ▶

取引価格とは、財又はサービスの顧客への移転と交換に企業が権利を得ると
見込む対価の額（ただし、第三者のために回収する額を除く。）のことをいいます。

Point ▶ 第三者のために回収する額

第三者のために回収する額とは、第三者に支払うために顧客から回収す
る金額のことをいい、収益からは除きます。

具体例としては、国や都道府県に納付するために顧客から回収した売上
に係る消費税等（預かった消費税）があります。

預かった消費税	第三者のために回収する額 （売上に含めない）
本体価格	取引価格 （売上に含める）

上記のように、収益認識に関する会計基準では、預かった消費税を売上に含め
ることができないため、消費税の会計処理として税込方式は認められていませ
ん。

取引価格の算定（ステップ3）

取引価格を算定する際には、①**変動対価**、②**契約における重要な金融要素**、③**現金以外の対価**、④**顧客に支払われる対価**のすべての影響を考慮します。

上記の①〜④のうち本書では、①と②について学習します。

変動対価とは

変動対価とは、顧客と約束した対価のうち変動する可能性のある部分のことをいいます。

当事者間で決めた当初の契約金額から変更される可能性がある部分のことです。たとえば、当初は対価を500円として販売することになっていた商品の代金が値引きやリベートなどによって、事後的に100円値下げされ400円になる可能性がある場合、この500円は変動対価に該当します。

変動対価が含まれる取引には、値引き・リベート・返金・インセンティブ・業績に基づく割増金・ペナルティーなどにより対価の額が変動する場合や、返品権付きの販売などがあります。

変動対価の会計処理

契約において、顧客と約束した対価に変動対価が含まれる場合、財又はサービスの顧客への移転と交換に**企業が権利を得ることとなる対価の額**を見積もります。なお、見積もった取引価格は、各決算日に見直します。

(1) **変動対価の見積り方法**

変動対価の額の見積りにあたっては、**最頻値による方法**または**期待値による方法**のいずれかのうち、企業が権利を得ることとなる対価の額をより適切に予測できる方法を用います。

最頻値による方法	発生し得ると考えられる対価の額における最も可能性の高い単一の金額（最頻値）による方法
期待値による方法	発生し得ると考えられる対価の額を確率で加重平均した金額（期待値）による方法

CHAPTER 7　収益認識に関する会計基準

⑵　変動対価の取扱い

　　変動対価の額については、変動対価の額に関する不確実性が事後的に解消される際に、解消される時点までに計上された**収益の著しい減額**が**発生しない可能性が高い**部分に限り、取引価格に含めます。

　　この判定においては、収益が**減額される確率**および**減額の程度**の両方を考慮します。

顧客から受け取ることができる可能性が高い金額だけを収益の金額とします。たとえば、対価として500円を受け取る契約であったとしても100円値引きされる可能性が高いのであれば、100円は売上としては計上せずに、受け取れると見込まれる400円のみを当初から売上として計上します。

⑶　返金負債

　　顧客から受け取ったまたは受け取る対価の一部あるいは全部を顧客に返金すると見込む場合、その金額（企業が権利を得ると見込まない額）について、取引価格から控除するとともに、**返金負債**を認識します。なお、返金負債の額は、各決算日に見直します。

Point　返金負債

```
┌─────────────────┬─────────────────────┐
│                 │ 企業が権利を得る      │
│                 │ と見込まない額        │
│  顧客から        │ （返金負債）          │
│  受け取った      ├─────────────────────┤
│ （受け取る）対価 │                      │
│                 │  取引価格            │
│                 │ （収益）             │
└─────────────────┴─────────────────────┘
```

従来の処理では、いったん全額の売上を計上して、値引きや割戻しをしたタイミングで売上を取り消していましたが、収益認識基準の適用下では、値引きや割戻しをされる可能性が高い部分は、販売したときにあらかじめ売上から控除しておきます。

例題　変動対価（数量値引の見積り）

次の資料に基づいて、X1年6月30日の仕訳を示しなさい。

[資　料]

1. 当社（決算日3月末）は、商品を1個当たり200千円で販売する契約をX1年4月1日にA社（顧客）と結んだ。この契約における対価には変動性があり、A社がX2年3月31日までに商品を1,000個よりも多く購入する場合には、商品1個につき10千円を割戻しする。

2. X1年6月30日に、商品500個をA社に掛けで販売した。当社は、A社の購入数量はX2年3月31日までに1,000個を超えると見積もり、1個につき10千円を割戻しすることが必要になると判断した。

解答

(仕訳の単位：千円)

| (売　掛　金) | 100,000 | (売　　　　　上) | 95,000*1 |
| | | (返　金　負　債) | 5,000*2 |

＊1　（@200千円－@10千円）×500個＝95,000千円
＊2　@10千円×500個＝5,000千円

商品を販売した時点で、売上割戻を行うと見込まれるときは、売上割戻の見積額を控除した純額95,000千円を企業が権利を得ることとなる対価の額として収益計上します。そして、受け取る対価の額100,000千円との差額5,000千円は顧客に返金すると見込まれる額として返金負債とします。

収益認識基準の適用下における売上戻り、売上割戻

収益認識基準の適用下において、**売上戻り**の扱いは以下のようになります。

返品権付きの販売　　　　　　→　変動対価として見積もる

欠陥品の返品　　　　　　　　→　製品保証引当金の設定対象

品違いなどによる偶発的な返品　→　売上の取り消し

収益認識基準の適用下において、**販売奨励金（売上割戻）**の扱いは以下のようになります。

契約書に明記されている、または顧客が合理的な期待をしている

→　変動対価として見積もる

契約に定めはないが、事後的に支払いを決定した

→　販売奨励金の支払いを約束したときに収益を減額

返品権付きの販売とは

商品等の販売にあたり、顧客が無条件、または条件付きで返品できることを認めたうえで販売が行われることがあります。通信販売や出版業などでみられる取引です。

返品権付きの販売の会計処理

販売された商品のうち、返品されると見込まれる部分については収益を認識せず、受け取った（または後日受け取る）金額を**返金負債**として認識します。また、顧客から商品を回収する権利を**返品資産**として認識します。

返品権付きの販売

| 顧客から
受け取った
(受け取る) 対価 | 返品が見込まれる
部分
(返金負債) |
| | 企業が権利を得る
と見込む部分
(収益) |

このほか、商品を回収する権利を返品資産として計上します。

 例題 **変動対価（返品権付きの販売）**

　次の資料に基づいて、X社の商品販売に係る仕訳を示しなさい。なお、記帳は売上原価対立法によること。

［資　料］

　X社は商品Aを1個150円（原価@¥100）で販売する契約を複数の顧客と締結し（計100個）、商品Aに対する支配を顧客に移転するとともに現金を受け取った。X社の取引慣行では、顧客が未使用の商品Aを14日以内に返品する場合、全額返金に応じることとしている。

　この契約では、X社が受け取る対価は変動対価である。X社は過去の販売実績から、商品A 95個が返品されないと見積もった。なお、返品された商品Aは新品同様に再販売できる。

解答 　　　　　　　　　　　　　　　　　　　（仕訳の単位：円）

収益の計上

| (現　　　　金) | 15,000 | (売　　　　上) | 14,250*1 |
| | | (返　金　負　債) | 750*2 |

原価の計上

| （売上原価） | 9,500*3 | （商 品） | 10,000 |
| （返品資産） | 500*4 | | |

* 1　150円×95個（返品されないと見込む部分）＝14,250円
* 2　150円×5個（返品されると見込む部分）＝750円
* 3　100円×95個（返品されないと見込む部分）＝9,500円
* 4　100円×5個（返品されると見込む部分）＝500円

〈参考〉　通常の返品（偶発的な返品）

　販売価格¥150（原価@¥100）の商品100個を販売して、その後、5個が品違いにより返品された場合（返品の代金は現金で精算）

〈販売時〉

| （現 金） | 15,000 | （売 上） | 15,000 |

| （売上原価） | 10,000 | （商 品） | 10,000 |

〈返品時〉

| （売 上） | 750 | （現 金） | 750 |

| （商 品） | 500 | （売上原価） | 500 |

試験上は、返品権付きの販売かどうか問題文をチェックして、当てはまる場合には返品部分を見積もる会計処理を行いましょう。

▐ 契約における重要な金融要素 🚩

(1) 原則処理

　顧客との契約に**重要な金融要素**（顧客が企業に対価を後払いする場合に生じる利息など）が含まれる場合、取引価格の算定にあたっては、約束した対価の額に含まれる金利相当分の影響を調整（約束した対価の額から利息分などを加減）します。

> 収益は、約束した財又はサービスが顧客に移転した時点で（または移転するにつれて）、財又はサービスに対して顧客が支払うと見込まれる現金販売価格を反映する金額で認識します。たとえば、割賦販売による代金には、商品自体の価格（現金販売価格）の他に代金を後払いすることにより生じる利息も含まれています。この利息については、取引価格から控除して、商品自体の価格で収益（売上など）を計上します。

Point ▶ 契約における重要な金融要素

| | 金利相当額 | ⎱ 利息として処理 |
| 約束した対価の額 | 現金販売価格 | ⎱ 売上として処理 |

例題 **重要な金融要素・原則処理**

次の資料に基づいて、取引時の仕訳を示しなさい。

[資　料]

(1) 当社は、商品をA社に掛けで販売した。なお、商品の対価の額は、102,000千円であり、販売代金は販売日から1年後に決済される。また、商品の対価の額には2,000千円の重要な金融要素が含まれている。

(2) 決済日において、商品の対価の額を現金で受け取った。また、金利相当額の計上を行った。

解答

(仕訳の単位：千円)

(1)

| (売 掛 金) | 100,000 | (売 上) | 100,000* |

＊　102,000千円－2,000千円＝100,000千円

(2)

| (売 掛 金) | 2,000 | (受 取 利 息) | 2,000 |
| (現 金) | 102,000 | (売 掛 金) | 102,000 |

(2) **容認処理**

契約における取引開始日において、約束した財又はサービスを顧客に移転する時点と顧客が支払いを行う時点の間が1年以内であると見込まれる場合には、重要な金融要素の影響について、約束した対価の額を調整しないことができます。

例題 **重要な金融要素（容認）**

次の資料に基づいて、取引時の仕訳を示しなさい。

[資　料]

(1) 当社は、商品をＡ社に掛けで販売した。なお、商品の対価の額は、102,000千円であり、販売代金は販売日から１年以内に決済される。また、商品の対価の額には2,000千円の重要な金融要素が含まれているが、重要な金融要素の影響について約束した対価の額を調整しない。

(2) 決済日において、商品の対価の額を現金で受け取った。

解答　　　　　　　　　　　　　　　　　　（仕訳の単位：千円）

(1)

（売　　掛　　金）	102,000	（売　　　　　　上）	102,000

(2)

（現　　　　　　金）	102,000	（売　　掛　　金）	102,000

5：取引価格の配分

理

取引価格の配分（ステップ4）

契約の中に複数の履行義務がある場合、ステップ3で算定した取引価格を、ステップ2で認識したそれぞれの履行義務（あるいは別個の財又はサービス）に配分します。取引価格の配分は、基本的にそれぞれの「独立販売価格」を基準に配分します。

独立販売価格

独立販売価格とは、その財又はサービスを単独で販売した場合の価格です。これは以下のように算定します。

⑴ **独立販売価格を直接観察できる場合**

それぞれの履行義務の基礎となる別個の財又はサービスについて、契約における取引開始日の独立販売価格を算定し、当該独立販売価格の比率に基づき取引価格を配分します。

⑵ **独立販売価格を直接観察できない場合**

市場の状況、企業固有の要因、顧客に関する情報等、合理的に入手できるすべての情報を考慮し、観察可能な入力数値を最大限利用して、独立販売価格を見積もります。

独立販売価格の見積方法

独立販売価格を直接観察できない場合の見積方法には以下の方法があります。残余アプローチは、取引価格の残りを独立販売価格とする簡便な方法なので、一定の要件の下に適用が認められます。

調整した市場評価アプローチ	予想コストに利益相当額を加算するアプローチ	残余アプローチ
財又はサービスが販売される市場を評価して、**顧客が支払うと見込まれる価格**を見積もる方法	履行義務を充足するために**発生するコストを見積**もってから、当該財又はサービスの適切な**利益相当額を加算**する方法	**取引価格の総額（セット販売価格）**から、契約において約束した他の財又はサービスについて**観察可能な独立販売価格の合計額を控除**して見積もる方法

ステップ4は時価の比で配分するというイメージです。独立販売価格が明示されていないときは、合理的な方法で見積もります。

▶ 値引きの配分 🚩

契約に複数の履行義務（財又はサービス）がある場合において、契約の対価について値引きを受けたとき（独立販売価格の合計額よりも契約の取引価格の方が低いとき）は、値引額をそれぞれの履行義務に配分します。

このとき、通常は値引きを履行義務全体に配分しますが、明らかに特定の履行義務について値引きが行われている場合には、値引きを特定の履行義務に配分します。

値引きの配分

以下の資料に基づいて、販売時の仕訳を示しなさい。

[資　料]

1. 当社は、商品A、B、C1個ずつを1セットとして22,000円で販売し、代金は掛けとした。

2. 当社は平素より商品A、B、Cを独立して販売しており、独立販売価格は商品Aが5,000円、商品Bが11,000円、商品Cが9,000円である。

3. 売上収益は各商品ごとに記録するものとし、取引全体の値引額は、どの商品に対して行われたのかが不明であるため、各商品に比例的に配分する。

（仕訳の単位：円）

（売　掛　金）	22,000	（売上（商品A））	4,400*1
		（売上（商品B））	9,680*2
		（売上（商品C））	7,920*3

独立販売価格の合計額：5,000円＋11,000円＋9,000円＝25,000円
取引全体の値引額：25,000円－22,000円＝3,000円

* 1　商品A：$5,000円 - 3,000円 \times \dfrac{5,000円}{5,000円 + 11,000円 + 9,000円}$
　　　　　　　＝4,400円

* 2　商品B：$11,000円 - 3,000円 \times \dfrac{11,000円}{5,000円 + 11,000円 + 9,000円}$
　　　　　　　＝9,680円

* 3　商品C：$9,000円 - 3,000円 \times \dfrac{9,000円}{5,000円 + 11,000円 + 9,000円}$
　　　　　　　＝7,920円

 特定の商品についての値引きであると判断できないため、すべての商品に対して値引きが行われたと考えて、取引全体の値引額3,000円は各商品に比例的に配分します。

問題 ▶▶▶ 問題編の**問題4～問題11**に挑戦しましょう！

6：収益の認識

 理

▶ 履行義務の充足による収益の認識（ステップ5）

　企業は約束した財又はサービスを顧客に移転することによって**履行義務を充足した時**にまたは**充足するにつれて**、収益を認識します。

▶ 一時点で充足される履行義務

　履行義務が一定の期間にわたり充足されるものではない場合には、一時点で充足される履行義務として、資産に対する支配を顧客に移転することにより当該履行義務が充足された時に、収益を認識します。

　ざっくりいうと資産に対する支配とは、資産を利用し、その資産から生じる利益のほとんどすべてを得ることができる能力のことをいいます。たとえば、資産を自由に利用したり、売買したりでき、資産から生じる利益を得ることができるのであれば資産を支配しているといえます。

　収益認識に関する会計基準では、履行義務の充足時期から大きく遅れて収益を認識することとなる回収基準は排除されています。そのため、割賦販売は販売基準のみ認められることになります。

▶ 一定の期間にわたり充足される履行義務

(1)　**判定**

　企業が顧客との契約における義務を履行するにつれて、顧客が便益を享受するなどの要件を満たす場合、資産に対する支配を顧客に一定の期間にわたり移転することにより、一定の期間にわたり履行義務を充足し収益を認識します。

履行義務が一定の期間にわたり充足されるかどうかの判断

「一定の期間にわたり充足される履行義務かどうか」は、実際には直感的に判断できるケースが多いと思われますが、基準で定められている判断過程は以下のとおりです。

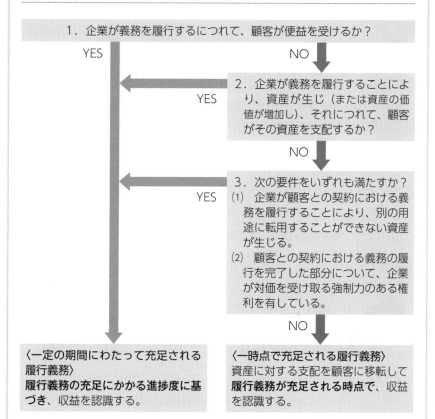

⑵ 一定の期間にわたり充足される履行義務の典型例

一定の期間にわたって充足される履行義務は、会計処理方法の違いから、以下の３類型に区分することがあります。

① 工事契約

② ソフトウェアの受注制作

③ サービス提供契約

②は①と同様に会計処理します（工事契約会計の章で扱います）。③のサービス業は多種多様な取引がありますが、本章ではごく単純なもの（日常的または反復的なサービス）についてのみ解説します。

 一定の期間にわたって充足される履行義務（サービス提供契約）

以下の資料に基づいて、A社の仕訳を示しなさい。

［資　料］

　2月1日、A社はオンライン業務研修の代行サービスを1年間3,600千円で顧客に提供する契約を締結し、代金は前払いで受け取った。A社が各月の研修サービスを提供するにつれて顧客はその便益を同時に受ける（顧客の従業員が研修を受講することができる）ため、このサービスは一定の期間にわたって充足される履行義務として、A社はその期間にわたって収益を認識する。3月31日（決算日、年1回決算）のA社の仕訳を示しなさい。なお、期中の会計処理は契約日に1年分の代金を前受金として計上しているのみである。

解答

（仕訳の単位：千円）

（前　受　金）	600	（売　　　上）	600*

＊　$3,600千円 × \dfrac{2か月（2月1日〜3月31日）}{12か月} = 600千円$

　一定の期間にわたって履行義務が充足されるため、進捗度に基づいて収益を認識します。進捗度については具体的な指示がありませんが、顧客にとっての価値は研修サービスが提供された期間であるため、契約期間中の経過期間の割合を採用します。また、特に指示がないため、進捗度は日割ではなく月割で計算しています。以上より、2か月分の前受金を収益へ振り替えます。

CHAPTER
7

収益認識に関する会計基準

役務収益の勘定科目は問題文の指示等に従ってください。
本書では「売上」や「営業収益」なども使っていますが、特に理由があって区別している訳ではありません。理論的には、商品販売と役務提供を行っている会社であれば、売上の内訳を区別するために「役務収益」を使うことが考えられますが、役務提供が本業である会社（サービス業）であれば「売上」を使っても特に不都合は生じないと思われます。

収益認識基準は、契約内容に色々な要素が盛り込まれた、複雑な取引にも対応しています。しかし、試験で実務的な契約内容を出題すると試験時間を浪費するため（長い契約書を読み込むことになります）、基本的な取引を押さえておけば十分だと思われます。上記の例題は、経過勘定の処理などと同様に、経過期間に応じて収益を認識しています。

問題 ⟫⟫ 問題編の**問題12～問題14**に挑戦しましょう！

7 : 本人と代理人の区分

▶ 本人と代理人の区分の判定

　企業が財又はサービスを提供する際に、他の当事者が関与している場合があります。このとき、企業が本人に該当する場合と代理人に該当する場合では履行義務の内容が異なるので、認識すべき収益（**総額**表示または**純額**表示）について違いが生じます。そのため、企業が本人か代理人のどちらに該当するのかという判定をする必要があります。

企業会計原則では、原則として、収益や費用を総額で表示すると定められていました。
収益認識基準では、本人か代理人かの検討結果によって、それぞれ収益として認識する額について定められています。

　本人と代理人のいずれに該当するかについては、財又はサービスのそれぞれが顧客に提供される前に、当該財又はサービスを企業が支配しているかどうかによって判断します。

Point ▶ 本人と代理人の区分の判定

1. 財又はサービスの提供に**他の当事者が関与**している

YES ↓

2. 財又はサービスが**顧客に提供される前に**、財又はサービスを当社が**支配**（＊）しているか

YES ← → NO

| 当社は「本人」 | 当社は「代理人」 |

＊　支配とは「当該資産の使用を指図し、当該資産からの残りの便益のほとんどすべてを享受する能力」

　支配の判定においては、たとえば次の①～③の指標（絶対的な基準ではなく単なる例示）を総合的に考慮します。

①　**財又はサービスを提供**するという約束の履行に、当社が**主たる責任**を有していること

②　当社が**在庫リスク**を有していること

③　財又はサービスの**価格の設定**において当社が**裁量権**を有していること

▮▶ 企業が本人に該当する場合

　顧客への財又はサービスの提供に他の当事者が関与している場合において、顧客との約束が財又はサービスを企業自ら提供する履行義務であると判断されるときは、企業は本人に該当することになります。

　この場合、財又はサービスの提供と交換に企業が権利を得ると見込む対価の**総額**を収益として認識します。

例題 他の当事者が関与している場合（当社は本人）

次の資料に基づいて、A社の仕訳を示しなさい。

［資 料］

1. A社は、主要な航空会社と交渉して一般販売価格より安く航空券を購入しており、それらを顧客に販売できるかどうかにかかわらず、航空会社に航空券の代金を支払う。

2. A社は自らの顧客に航空券を販売し、対価を受け取る。販売価格はA社が自ら決定している。

3. A社は、航空会社の提供するサービスへの顧客の不満を解決するサポートを行っているが、航空券に関する義務の履行に対する責任は各航空会社にある。

4. A社は、当該契約について、A社の履行義務は航空券を自ら顧客に提供することであり（顧客に提供される前に、航空券をA社が支配している）、自らは本人に該当すると判断した。

5. A社は航空会社から航空券を12,000円で購入し（代金未払）、現金15,000円で顧客に販売した。

 解答

(仕訳の単位：円)

| (現　　　　　金) | 15,000 | (営　業　収　益) | 15,000 |
| (営　業　費　用) | 12,000 | (買　掛　　金) | 12,000 |

顧客に移転する航空券と交換に顧客から権利を得る対価の総額15,000円を収益として認識します。

この結果、損益計算書上の売上高は総額の15,000円となります。

Point 本人に該当するケース

① 当社は航空券を顧客に販売しているが、航空券に係るサービスの提供（フライト）は航空会社が行うため、サービスの提供に他の当事者が関与している。そこで、当社は「本人」か、航空会社の「代理人」かが問題となる。

② 顧客に航空券を販売する前に、航空券を支配しているのは当社であると判断されたため、当該販売取引において当社は「本人」に該当する。

③ したがって、当社は販売収益を総額で計上する（営業費用との相殺はしない）。

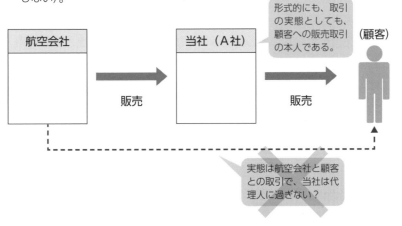

形式的にも、取引の実態としても、顧客への販売取引の本人である。

実態は航空会社と顧客との取引で、当社は代理人に過ぎない？

▌企業が代理人に該当する場合

　顧客への財又はサービスの提供に他の当事者が関与している場合において、顧客との約束が財又はサービスを他の当事者によって提供されるように企業が手配する履行義務であると判断されるときは、企業は代理人に該当することになります。

　この場合、代理人として手配することと交換に企業が権利を得ると見込む報酬または手数料の金額（あるいは他の当事者が提供する財又はサービスと交換に受け取る額から当該他の当事者への支払額を控除した**純額**）を収益として認識します。

「顧客との約束が財又はサービスを他の当事者によって提供されるように企業が手配する」とは、企業が他の当事者の代理人として顧客と取引を行うということです。収益の具体例としては、証券会社などが得る仲介手数料（手数料収入）をイメージするとよいでしょう。

例題 他の当事者が関与している場合（当社は代理人）

次の資料に基づいて、B社の仕訳を示しなさい。

［資　料］

1．小売業（百貨店）を営むB社は、商品を仕入れ、店舗に陳列して個人顧客に販売している。

2．仕入先（テナント）との契約はいわゆる消化仕入の形をとっている。B社は、店舗への商品納品時に検収を行わず、店舗にある商品の所有権は仕入先が保有している。また、商品の保管管理責任や商品に関するリスクも仕入先が有している。B社は、店舗に並べる商品種類や価格帯等の販売方針について一定の関与を行うが、個々の商品の品揃えや販売価格の決定権は仕入先にある。

3．顧客への商品の販売時に、商品の所有権は仕入先からB社に移転し、同時に（即座に）顧客に移転する。B社は販売代金を顧客から受け取り、販売代金に80％を乗じた金額について、仕入先に支払う義務を負う。

4．B社は、当該契約において、自らの履行義務は商品が仕入先によって提供されるように手配することであり（顧客に提供される前に、商品をB社が支配していない）、自らは代理人に該当すると判断した。

5．B社は、消化仕入契約の対象である商品Xを15,000円で顧客に現金販売した。

解答　　　　　　　　　　　　　　　　　（仕訳の単位：円）

（現　　　金）	15,000	（売　　　上）	3,000
		（買　掛　金）	12,000*

＊　15,000円×80％＝12,000円

B社は代理人として、受け取った対価15,000円から仕入先に支払う12,000円を控除した純額（手数料相当額）を収益として認識します。この結果、損益計算書上の売上高は純額の3,000円となります。

消化仕入（売上仕入）とは、商品が売れたときに仕入先から仕入れたものとする仕入形態です。顧客に販売されるまでは商品の所有権を仕入先に残したまま、店舗等に商品が供給されます。百貨店などで行われている仕入形態で、在庫リスクを負担しないため、多種多様な商品を仕入れやすくなりますが、百貨店側は価格決定権を持たず、あまり値引きが行われない傾向があります。従来の会計処理では、商品の仕入時点では仕入を計上せず、販売時点で「仕入」と「売上」を同時計上していました。なお、消化仕入に対して、一般的な仕入取引（買取仕入）は商品を仕入れた時点で「仕入」を計上します。

収益認識に関する会計基準

CHAPTER 7

Point ▶ 代理人に該当するケース

① 当社は百貨店として商品を顧客に販売しているが、実際の売場を仕切っているのは各テナントであるため、サービスの提供に他の当事者が関与している。そこで、当社は「本人」か、テナントの「代理人」かが問題となる。

② 顧客に商品を販売する前に、商品を支配しているのはテナント（仕入先）側であると判断されたため、当該販売取引において当社はテナントの「代理人」に該当する（テナントが販売取引の「本人」にあたる）。

③ したがって、当社は販売収益を純額で計上する（営業費用と相殺する）。

・形式的には、当社はテナントから商品を仕入れ、それを顧客に販売している。販売代金15,000円はいったん当社のレジに入る

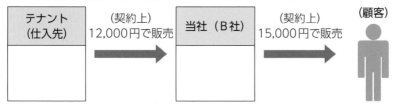

・取引の実態としては、商品と代金はテナントと顧客の間で受け渡されていて、当社は代理人に過ぎない

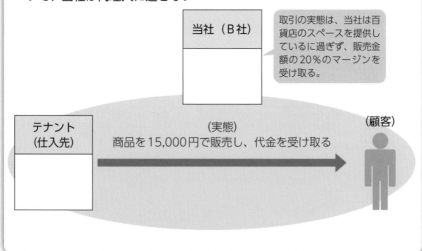

上の例題では、論述対策として契約内容を詳しく記述していますが、本試験では（特に総合的な計算問題として出題された場合）もっと簡潔に出題される可能性があります。

問題 ≫≫ 問題編の**問題15**に挑戦しましょう！

8：契約資産

Rank B

契約資産と顧客との契約から生じた債権 🚩

収益認識に関する会計基準では、顧客に対する債権（「企業が顧客に移転した財又はサービスと交換に受け取る対価に対する企業の権利」）を、契約資産と顧客との契約から生じた債権に分けています。

(1) 契約資産

契約資産とは、「企業が顧客に移転した財又はサービスと交換に受け取る対価に対する企業の権利」のうち、顧客との契約から生じた債権以外のものです。

(2) 顧客との契約から生じた債権

顧客との契約から生じた債権とは、「企業が顧客に移転した財又はサービスと交換に受け取る対価に対する企業の権利」のうち、無条件のものです。

> (1)(2)の違いは、無条件で対価を受け取れる状態かどうかです。「無条件」とは、財やサービスを顧客に提供済みで、あとは時間が経過すれば取引の対価を受け取れる状態を指します。
> なお、「契約資産」はそのまま勘定科目としても使われますが、「顧客との契約から生じた債権」は単なる分類名であり、具体的な科目としては売掛金、営業債権などが該当します。

CHAPTER **7**

収益認識に関する会計基準

例題　契約資産

　以下の取引について、(1)商品Xの引渡時、(2)商品Yの引渡時の仕訳をそれぞれ示しなさい。

　当社はA社と商品Xおよび商品Yを合わせて20,000円で販売する契約を締結した。当該契約締結後、直ちに商品Xの引渡しを行うが、商品Yの引渡しは当月末に行われる。なお、対価20,000円の支払いは商品X、Y両方の引渡しが条件となっており、翌月末に支払われる。

　商品Xの独立販売価格：12,000円
　商品Yの独立販売価格：　8,000円

解答

（仕訳の単位：円）

(1)　商品Xの引渡時

（契　約　資　産）	12,000	（売　　　　　上）	12,000

(2)　商品Yの引渡時

（売　　掛　　金）	20,000	（契　約　資　産）	12,000
		（売　　　　　上）	8,000

商品Xの引渡時には商品Xについて売上を計上しますが、対価の支払いは商品X、Y両方の引渡しが条件であるため、顧客との契約から生じた債権ではなく、契約資産として処理します。この債権は、商品Yを引渡した時に対価に対する無条件の権利となるため、契約資産から売掛金に振り替えます。

9：契約負債

▐▶ 契約負債とは

　財又はサービスを顧客に移転する企業の（未履行の）義務に対して、企業が顧客から対価を受け取ったものまたは対価を受け取る期限が到来しているものをいいます。契約負債は、**契約負債**や**前受金**等の適切な科目をもって貸借対照表に表示します。

> 一般的な前受金に関する基礎的な説明は割愛し、以下ではポイント制度について解説します。企業が顧客に付与するポイントには、自社が運営するポイントと他社が運営するポイントがあります。

▐▶ ポイント制度とは

　企業は顧客を囲い込む販売促進策として、企業が商品またはサービスを顧客に提供する際に、将来、使用した金額分の値引きが受けられるポイントを顧客に付与することがあります。これをポイント制度といいます。

▐▶ 自社ポイントを付与する場合

　顧客との契約において、商品やサービスの提供に加えて自社ポイントを顧客に付与する場合、それが契約を締結しなければ顧客が受け取れない重要な権利を顧客に提供するものであれば、企業は自社ポイントについて別個の履行義務を識別します。

> 重要な権利を顧客に提供する場合とは、たとえば、将来顧客が企業から商品やサービスを購入したときに、通常の値引きの範囲を超える値引きを顧客に提供する場合のことをいいます。

この場合には、自社ポイントを売上ではなく**契約負債**として処理します。また、履行義務へ取引価格を配分する際は、企業が提供する商品やサービスの独立販売価格と自社ポイントの独立販売価格との比率で配分します。その後、顧客が自社ポイントを使用する時、あるいは自社ポイントが消滅する時に収益を認識します。

 自社ポイントは単体で販売していないため、自社ポイントが使用される可能性を考慮したうえで、自社ポイントの独立販売価格を見積もる必要があります。

例題 自社ポイントを付与する場合

次の資料に基づいて、A社が(1)商品を販売したとき、(2)X1年度末、(3)X2年度末における仕訳をそれぞれ示しなさい。

［資 料］

1. A社は顧客に対し商品の購入金額10円につき1ポイントを付与している。顧客は次回の商品購入時に1ポイント1円として購入代金に充当することができる。

2. X1年度中に、A社は顧客に対しポイントが付与される商品54,000円を現金で販売し、5,400ポイントを付与した。商品の価格は固定された独立販売価格である。

3. 商品販売時点において、上記2. で付与されたポイントのうち、80%が将来使用されると見積もった。

4. X1年度中に、上記2. で付与されたポイントのうち、3,240ポイントが使用され、独立販売価格3,240円の商品の購入代金に充当された。

5. X2年度末において、使用されるポイント総数の見積りを4,000ポイントに変更した。なお、各年度のポイントに係るデータは下記のとおりである。

	X1年度	X2年度	X3年度
各年度に使用されたポイント	3,240	0	760
決算日までに使用されたポイント累計	3,240	3,240	4,000
使用されると見込むポイント総数	4,320	4,000	4,000

（仕訳の単位：円）

(1) A社が商品を販売したとき

（現　　　金）	54,000	（売　　　　上）	50,000*1
		（契　約　負　債）	4,000*2

＊1　ポイントの独立販売価格：5,400円×80％＝4,320円

商品：$54,000円×\dfrac{商品の独立販売価格54,000円}{独立販売価格の合計（商品54,000円＋ポイント4,320円）}＝50,000円$

＊2　ポイント：$54,000円×\dfrac{ポイントの独立販売価格4,320円}{独立販売価格の合計（商品54,000円＋ポイント4,320円）}＝4,000円$

 自社ポイントの独立販売価格は、顧客が使用する可能性を考慮した4,320ポイントとなります。顧客に付与された5,400ポイントをそのまま独立販売価格としないように注意しましょう。

(2) X1年度末

（契　約　負　債）	3,000*3	（売　　　　上）	3,000

＊3　$4,000円×\dfrac{X1年度末までに使用されたポイント累計3,240}{使用されると見込むポイント総数4,320}＝3,000円$

(3) X2年度末

（契　約　負　債）	240*4	（売　　　　上）	240

＊4　$4,000円×\dfrac{X2年度末までに使用されたポイント累計3,240}{変更後の使用されると見込むポイント総数4,000}＝3,240円$

3,240円－3,000円＝240円

 商品の販売にともなって計上された契約負債は、顧客によるポイントの使用や、使用されるポイント総数の見積り変更に応じて契約負債から売上に振り替えます。

他社ポイントを付与する場合 🚩

　顧客との契約において、商品やサービスの提供に加えて他社ポイントを顧客に付与する場合、それが契約を締結しなければ顧客が受け取れない重要な権利を顧客に提供していないものであれば、企業は他社ポイントについて別個の履行義務を識別しません。

　この場合には、商品やサービスの販売代金から、他社ポイントの付与により生じた他社への支払額（未払金）を控除した金額を収益として認識します。

> 通常、顧客に重要な権利を提供しているのは当社ではなく、ポイント運営会社であるという判断になります。また、他社ポイントの付与により生じた他社への支払額は、第三者のために回収する金額となるので、収益として認識することはできません。

例題　他社ポイントを付与する場合

　次の資料に基づいて、A社の(1)商品販売時、(2)ポイント相当額の支払時の仕訳を示しなさい。

［資　料］

1. 小売業を営むA社は、第三者であるZ社が運営するポイント制度に参加している。A社は、A社の店舗で商品を購入した顧客に対し、ポイントカードの提示により、購入額100円につきZ社ポイント1ポイントを付与する。その後、A社はZ社に対して1ポイントにつき1円を支払う。

2. 顧客に付与されたZ社ポイントは、Z社のポイント制度に参加している各企業（A社を含む）において利用できる。

3. A社とZ社との間に上記以外の権利および義務は発生しない。

4. A社は、Z社ポイントを顧客に付与するとともに、付与したポイントに相当する代金をZ社に支払う義務を有するのみ（本問では現金で支払う）で、A社の観点からは、Z社ポイントの付与は顧客に重要な権利を提供していないと判断した。

5. X1年6月1日に、A社は、商品を顧客に現金8,000円で販売するとともに、顧客に対してZ社ポイント80ポイントを付与した。

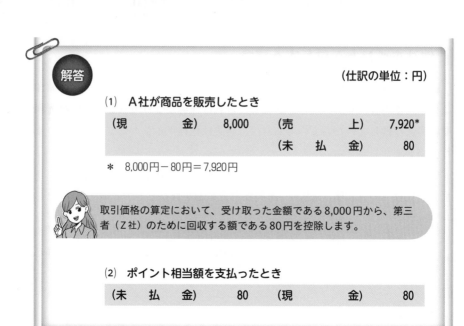

解答　　　　　　　　　　　　　　　　　　　　　　（仕訳の単位：円）

(1)　A社が商品を販売したとき

（現　　　　　金）	8,000	（売　　　　　上）	7,920*
		（未　払　金）	80

*　8,000円－80円＝7,920円

取引価格の算定において、受け取った金額である8,000円から、第三者（Z社）のために回収する額である80円を控除します。

(2)　ポイント相当額を支払ったとき

（未　払　金）	80	（現　　　　　金）	80

問題 ▶▶▶ 問題編の**問題16 ～問題17**に挑戦しましょう！

10：財務諸表の表示 　理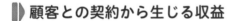

▌顧客との契約から生じる収益

　顧客との契約から生じる収益を、適切な科目をもって損益計算書に表示します。なお、顧客との契約から生じる収益については、それ以外の収益と区分して損益計算書に表示するか、または両者を区分して損益計算書に表示しない場合には、顧客との契約から生じる収益の額を注記します。

> 顧客との契約から生じる収益の適切な科目については、たとえば売上高、売上収益、営業収益などがあります。

▌契約における重要な金融要素

　顧客との契約に重要な金融要素が含まれる場合、顧客との契約から生じる収益と金融要素の影響（受取利息や支払利息）を損益計算書において区分して表示します。

▌契約資産、顧客との契約から生じた債権、契約負債

　契約のいずれかの当事者が履行している場合（企業が履行している場合や企業が履行する前に顧客から対価を受け取る場合など）等には、企業は、企業の履行と顧客の支払との関係に基づき、**契約資産**、**契約負債**または**顧客との契約から生じた債権**を計上します。また、これらを適切な科目をもって貸借対照表に表示します。

契約資産、顧客との契約から生じた債権、契約負債

分類名	表示科目
契約資産	契約資産、工事未収入金など
顧客との契約から生じた債権	売掛金、営業債権など
契約負債	契約負債、前受金など

なお、**契約資産**、**顧客との契約から生じた債権**、**契約負債**のそれぞれについて、貸借対照表に他の資産・負債と区分して表示しない場合には、それぞれの残高を注記します。

▌▌ 注記事項

(1) 重要な会計方針の注記

顧客との契約から生じる収益に関する重要な会計方針として、次の項目を注記します。

① 企業の**主要な事業における主な履行義務の内容**

② 企業が**当該履行義務を充足する通常の時点**(収益を認識する通常の時点)

これら以外にも、重要な会計方針に含まれると判断した内容は、重要な会計方針として注記します。

(2) 収益認識に関する注記

この開示目的は、顧客との契約から生じる収益およびキャッシュ・フローの性質、金額、時期および不確実性を財務諸表利用者が理解できるようにするための十分な情報を企業が開示することです。そのために次の項目を注記します。

① **収益の分解情報**（例：主たる地域市場別、主要な財又はサービスのライン別、収益認識の時期別）

② **収益を理解するための基礎となる情報**（(1)で記載していれば「上記(1)参照」とできる）

③ 当期及び翌期以降の収益の金額を理解するための情報

ただし、①〜③に掲げる各注記事項のうち、開示目的に照らして重要性に乏しいと認められる注記事項は、記載しないことができます。

Point 収益認識に関する注記

収益認識に関する注記は次のように示します。

〈文例 重要な会計方針の注記〉

小売業
　　小売業は、主に食料品等の販売を行っており、多くの場合、物品の引渡時点において顧客が当該商品に対する支配を獲得し、履行義務が充足されると判断し、主として物品の引渡時点で収益を認識しております。
オンライン講座
　　オンライン講座の履行義務は、顧客である受講生に対して契約期間にわたりサービスを提供することであり、顧客にサービスが提供される時間の経過とともに履行義務が充足されると判断し、契約に基づくサービス提供期間にわたり均等に収益を認識しております。

〈文例 収益認識に関する注記〉

1. 顧客との契約から生じる収益を分解した情報
　　「注記事項（セグメント情報等）」に記載の通りです。
2. 顧客との契約から生じる収益を理解するための基礎となる情報
　　履行義務については「重要な会計方針」に記載の通りです。
　　販売から生じる収益については、顧客との契約において約束された販売価格を対価とし、販売奨励金を控除した金額で測定しています。
3. 当期及び翌期以降の収益の金額を理解するための情報
　　顧客との契約から生じた債権の残高は以下の通りです。

顧客との契約から生じた債権（期首残高）	150,000
顧客との契約から生じた債権（期末残高）	160,000

収益認識に関する注記についてどのような詳細さで記載するべきかは、基準で画一的に定めるものではなく、基準が定める開示目的に照らして企業が適切に判断するものとされています。また、収益認識に関する注記の記載区分についても、基準で示した注記事項の区分の通りに記載する必要はなく、開示目的に照らして、利害関係者が理解しやすいと考えられる適切な方法で記載してよいとされています。

参考 企業会計原則による収益認識 理

収益認識に関する会計基準との比較として、企業会計原則による収益認識の会計処理に言及される可能性があります。参考までに、企業会計原則による収益認識も一読しておきましょう。

▶ 実現主義の原則

実現主義の原則とは、収益を実現の事実に基づいて認識することを要請する原則です。

実現とは、企業が保有する財貨または役務を企業の外部者に引き渡しもしくは提供し、その対価として現金または現金同等物を受け取ることをいいます。財貨や役務は通常、販売という行為によって現金または現金同等物に転化するため、実現主義の原則は、具体的には**販売基準**という形で適用されます。

▶ 実現主義による収益認識

(1) 一般販売

一般販売とは、現金販売および信用販売による販売形態のことです。一般販売では、商品・製品を引き渡したときに収益を計上します。

(2) 委託販売

委託販売とは、商品・製品の販売を受託者に委託し、受託者が委託された商品・製品の販売を委託者の計算において行う販売形態のことです。委託販売では受託者が委託品を販売した日に収益を計上します。

ただし、仕切精算書が販売のつど送付されている場合には、当該仕切精算書が到達した日に収益を計上することが認められていました(仕切精算書到達日基準)。

(3) 試用販売

試用販売とは、得意先に商品・製品を送付し、一定の試用期間を与え、現品を見せたうえで購入か否かの意思決定を待って販売を確定する販売形態のことです。試用販売では、得意先が買取りの意思を表示したときに収益を計上します。

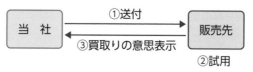

(4) 予約販売

予約販売とは、予約者からあらかじめ代金の一部または全部を受領し、その後に商品・製品を引き渡す販売形態をいいます。予約販売では、商品・製品を引き渡したときに収益を計上します。

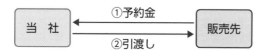

(5) 割賦販売

割賦販売とは、売買契約成立の時に、買主に商品・製品を引き渡し、その代金を一定期間に月賦・年賦などで、定期的に分割して受け取る信用販売形態をいいます。割賦販売では、原則として商品・製品を引き渡した日に収益を計上します。

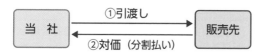

(6) 工事契約

工事契約とは、仕事の完成に対して対価が支払われる請負契約のうち、土木、建築、造船や一定の機械装置の製造等、基本的な仕様や作業内容を顧客の指図に基づいて行うものをいいます。

工事契約については、工事が完成し、その引渡しが完了した日に収益を計上します。これを**工事完成基準**といいます。

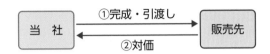

▶ 発生主義による収益認識（実現主義の例外その１）

　①販売されることが確実な場合で、②販売価格が確定している場合は、いつでも販売可能であるので、実現主義における販売ないし引渡しはそれほど重要な意味をもちません。

　そのため、（販売されるまで）収益の計上を繰り延べずに、発生主義により販売前に収益を計上することが認められていました。

	発生主義による収益認識
鉱 山 業 等 （生産基準）	金・銀等の貴金属については、生産完了の段階で収益を計上する。これを生産基準という。
	発生主義を採用する根拠は、販売の保証があり、安定した市場価格が存在するため。
金融業・不動産業等の役務収益 （時間基準）	資金の貸付けや不動産の賃貸（継続的役務提供契約）に係る役務収益については、時間の経過にともない収益を計上する。これを時間基準という。
	発生主義を採用する根拠は、契約期間と収益総額とが定まっているため。
公定価格のある 農 作 物 等 （収穫基準）	公定価格のある農作物等に係る収益については、収穫が完了した段階で収益を計上することも認められる。これを収穫基準という。
	発生主義を採用する根拠は、確定した販売価格でいつでも販売できる条件が整っているため。
工 事 契 約 （工事進行基準）	工事契約については、生産中の段階で工事の進行程度に応じて収益を計上することが認められている。これを工事進行基準という。
	発生主義を採用する根拠は、受注生産ゆえに販売の保証があり、請負価格が決まっているため。

工事進行基準が要求される２つの理由

工事進行基準は、確実性と客観性の観点と適正な期間損益計算の観点から適用
が求められています。

確実性と客観性の観点	受注生産のため、販売の保証があり、請負価格が決まっているため、販売前の段階でも収益の確実性および金額の客観性を満たす。
適正な期間損益計算の観点	企業努力に対する成果が工事の完成・引渡し前の会計期間においても計上されるため、費用と収益の適正な期間的対応が図られ、業績評価の面で優れている。

現金主義による収益認識（実現主義の例外その２）

割賦販売では、保守主義の見地から、実現主義による「引き渡し時」ではな
く、入金の日に収益を計上する現金主義の適用が認められていました。

	現金主義による収益認識
割 賦 販 売 （回収基準）	割賦販売については、割賦金の入金の日に収益を計上することが認められている。この基準を回収基準という。
	割賦販売は代金回収期間が長期かつ分割払いであり、回収不能の危険率が高く、引当金等の計上について特別の配慮を要し、その算定には不確実性と煩雑さをともなうため。

CHAPTER 8

工事契約会計

ここでは、工事契約会計を通じて、「一定の期間にわたり充足される履行義務」に関わる会計処理を学習します。収益認識に関する会計基準に基づき処理していきます。

損益会計

工事契約会計

≫一定の期間にわたり充足される履行義務をともないます

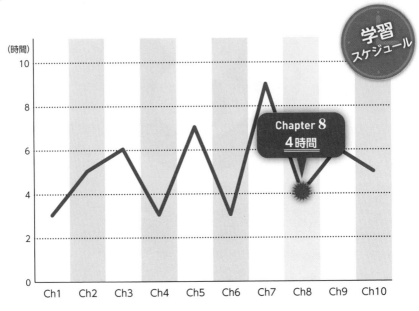

(時間)

Chapter 8
4時間

Ch1 Ch2 Ch3 Ch4 Ch5 Ch6 Ch7 Ch8 Ch9 Ch10

学習
スケジュール

Check List

☐ 工事契約の会計処理を理解しているか？
☐ 進捗度に基づく収益認識について理解しているか？
☐ 完全に履行義務を充足した時点での収益認識について理解しているか？
☐ 原価回収基準について理解しているか？
☐ 工事損失引当金の会計処理を理解しているか？

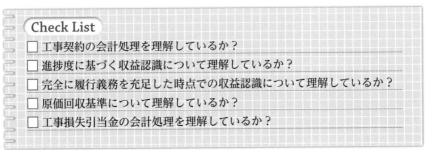

Link to 簿記論① **Chapter10 工事契約**

簿記論では、このChapterで扱う論点以外に、見積りの変更などの処理を学習します。あわせてみていきましょう。

1：工事契約

理

工事契約とは

工事契約とは、仕事の完成に対して対価が支払われる請負契約のうち、土木、建築、造船や一定の機械装置の製造等、基本的な仕様や作業内容を顧客の指図に基づいて行うものをいいます。

> たとえば、注文住宅などの請負契約が工事契約に該当します。
> また、受注制作のソフトウェアは工事契約に準じて処理します。

工事契約の取り扱い

収益認識に関する会計基準の適用にともない、工事契約に関する会計基準は廃止されました。そのため、工事契約に関しては、工事進行基準や工事完成基準に基づく会計処理は行われなくなり、収益認識に関する会計基準の定めに基づいて会計処理します。

> 工事契約に関する会計基準は廃止されましたが、収益認識に関する会計基準においても工事進行基準や工事完成基準とほぼ同じ処理が定められています。

工事契約の会計処理

収益認識に関する会計基準では、工事契約について、次の要件のいずれかを満たすかを判断します。

> 本章の章題は「工事契約会計」ですが、収益の認識に関しては収益認識基準が適用されます。収益認識基準は収益の認識に係る包括的な基準であり、特定の業種を対象にしているわけではありません。したがって、「一定の期間にわたり充足される履行義務」に関する収益の会計処理は、工事契約等（建設工事やソフトウェアの受注制作）に限らず、さまざまな契約に適用されます（たとえば、コンサルティングや企画旅行、保守サービスなど）。なお、経過時間を進捗度として収益を計上するような単純な契約については、**Chapter7**で解説しています。

195

① 企業が顧客との契約における義務を履行するにつれて、顧客が便益を享受すること
② 企業が顧客との契約における義務を履行することにより、資産が生じるまたは資産の価値が増加し、当該資産が生じるまたは当該資産の価値が増加するにつれて、顧客が当該資産を支配すること
③ 次の要件のいずれも満たすこと
  ⅰ 企業が顧客との契約における義務を履行することにより、別の用途に転用することができない資産が生じること
  ⅱ 企業が顧客との契約における義務の履行を完了した部分について、対価を収受する強制力のある権利を有していること

　上記の要件のいずれかを満たす場合には、一定の期間にわたり充足される履行義務に該当します。その場合の処理は次のように分類されます。

① **進捗度に基づき収益認識**[*1]
② **完全に履行義務を充足した時点で収益認識**[*2]
③ **原価回収基準**[*3]
＊1　進捗度を合理的に見積もることができる場合
＊2　工事契約等（工事契約と受注制作のソフトウェア）に限り、期間がごく短い場合のみ適用可（容認規定）
＊3　進捗度を合理的に見積もることができないものの、履行義務を充足するさいの費用を回収できると見込む場合に、進捗度を合理的に見積もることができるときまで。ただし（以下は容認規定）、契約の初期段階に収益を認識せず、当該進捗度を合理的に見積もることができる時から収益を認識することもできる。

進捗度を合理的に見積もることができず、かつ原価回収基準が適用されない場合は、履行義務を完全に充足するか、進捗度を合理的に見積もることができるようになったときに、収益を計上します。

2 ：進捗度に基づく収益認識 理

進捗度に基づき収益認識する場合

　工事契約が、一定の期間にわたり充足される履行義務であり、履行義務の充足にかかる進捗度を合理的に見積もることができる場合は、工事の**進捗度に基づいて**収益を一定の期間にわたり認識します。

 工事の進捗度は、決算日までに実施した工事に関して発生した工事原価の工事原価総額に対する割合を決算日における工事進捗度とする方法（原価比例法）などを採用します。

例題　進捗度に基づき収益認識する場合

　次の資料に基づいて、X1年度、X2年度における完成工事高と完成工事原価を示しなさい。

[資　料]

1．当社は、工場の建設についての契約を締結した。なお、工事契約は一定の期間にわたり充足される履行義務であり、履行義務の充足にかかる進捗度を合理的に見積もることができる。また、契約で取り決められた当初の工事収益総額は25,000千円である。工事原価総額の当初見積額は20,000千円である。

2．当社は、決算日における工事進捗度を原価比例法により算定している。各年度で見積もられた工事収益総額、工事原価総額および決算日における工事進捗度は次のとおりである。

（単位：千円）

	X1年度	X2年度	…
工事収益総額	25,000	25,000	…
過年度に発生した工事原価	―	6,000	…
当期に発生した工事原価	6,000	8,000	…
完成までに要する工事原価	14,000	6,000	…
工事原価総額	20,000	20,000	…
進捗度	30%	70%	…

解答

（単位：千円）

	X1年度	X2年度
完 成 工 事 高	7,500 [*1]	10,000 [*2]
完 成 工 事 原 価	6,000	8,000

* 1　X1年度　完成工事高 ： $\dfrac{6,000千円}{20,000千円} \times 25,000千円 = 7,500千円$

* 2　X2年度　完成工事高 ： $\dfrac{6,000千円+8,000千円}{20,000千円} \times 25,000千円$

$- 7,500千円 = 10,000千円$

完成工事高は
「工事収益総額×当期までに発生した工事原価÷工事原価総額（進捗度）
−前年度までに発生した工事収益」
で求めるようにしましょう。

工事契約において、売上は「完成工事高」勘定を用います。この相手勘定は通常「完成工事未収入金」です（商品売買における売掛金に相当）。ただし、工事が未完成の時点で収益を計上するときは、相手勘定は「契約資産」を用います。これは、未完成のままでは顧客から対価を受け取ることができないからです。なお、契約資産は収益認識基準で定められた科目であるため、問題によっては従来どおり「完成工事未収入金」を使うかもしれません。したがって、勘定科目は問題文の指示等を確認してください。

3：完全に履行義務を充足した時点での収益認識 理 Rank B

完全に履行義務を充足した時点で収益認識する場合

工事契約等について、契約における取引開始日から完全に履行義務を充足すると見込まれる時点までの期間がごく短い場合には、一定の期間にわたり収益を認識せず、**完全に履行義務を充足した時点で**収益を認識することができます。

この処理は、「工事契約に関する会計基準」の工事完成基準の会計処理を引き継いだものなので、工事契約等（工事契約と受注制作のソフトウェア）にのみ適用し、一定の期間にわたり収益を認識するその他の契約には適用されません。

例題　完全に履行義務を充足した時点で収益認識する場合

次の資料に基づいて、X1年度、X2年度における完成工事高と完成工事原価を示しなさい。

［資　料］

1．当社は、工場の建設についての契約を締結した。契約で取り決められた当初の工事収益総額は25,000千円、工事原価総額の当初見積額は20,000千円である。なお、契約における取引開始日から完全に履行義務を充足すると見込まれる時点までの期間がごく短い場合に該当するため、完全に履行義務を充足した段階で収益を認識する。

2．各年度で見積もられた工事収益総額、工事原価総額および決算日または完成日における工事進捗度は次のとおりである。

	X1年度	X2年度
工事収益総額	25,000	25,000
過年度に発生した工事原価	—	6,000
当期に発生した工事原価	6,000	14,000
完成までに要する工事原価	14,000	0
工事原価総額	20,000	20,000
進捗度	30%	100%

（単位：千円）

（単位：千円）

	X1年度	X2年度
完成工事高	0	25,000
完成工事原価	0	20,000

工事の完成・引渡しがされるまで収益・費用は計上されません。なお、この処理は容認処理なので、問題文に指示が入ります。

4：原価回収基準

 理

▌ 原価回収基準で収益認識する場合

原価回収基準とは、履行義務を充足する際に発生する費用のうち、回収することが見込まれる費用の金額で収益を認識する方法のことです。

 ざっくりいうと、かかった費用（原価）のうち回収できると判断した金額をそのまま収益(売上)として計上しようという方法です。利益は計上されませんが、履行義務の充足が進んでいるという事実が反映されます。

原価回収基準は、進捗度を合理的に見積もることができないが、履行義務を充たす際に生じる費用を回収できると見込まれる場合に、**進捗度を合理的に見積もることができる時まで**、採用します。

 たとえば、進捗度は不明でも、当期に発生した原価は10,000円とわかっており、少なくともこの10,000円は回収可能と判断したときは、原価回収基準に基づき、売上を10,000円計上します。

▌ 契約の初期段階における原価回収基準の取扱い（容認）

契約の初期段階において、履行義務の充足に係る進捗度を合理的に見積もることができない場合には、当該契約の初期段階に収益を認識せず、進捗度を合理的に見積もることができる時から収益を認識することができます。

5：工事契約から損失が見込まれる場合　理　計

▶ 工事契約から損失が見込まれる場合の取扱い 🚩

　工事契約について、工事原価総額等が工事収益総額を超過する可能性が高く、かつ、その金額を合理的に見積もることができる場合には、**工事損失引当金**を計上します。

Point ▶　工事損失引当金の計上額 🚩

　超過すると見込まれる額（工事損失）のうち、当該工事契約に関してすでに計上された損益の額を控除した残額を、工事損失が見込まれた期の損失として処理します。

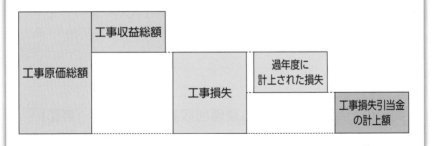

　工事損失引当金の計上は、適用している収益の認識方法にかかわらず、また、工事の進捗の程度にかかわらず適用されます。

▶ 工事契約から損失が見込まれる場合の会計処理 🚩

　この会計処理は、あらかじめ引当金を計上することにより、工事損失の発生が見込まれ、投資額を回収できないような事態が生じた場合に、損失を将来に繰り延べることを防止するために行われます。

> 従来より、将来の特定の損失については引当金の計上が求められており、工事契約から将来発生が見込まれる損失についても、引当金の計上要件を満たすのであれば、同様の処理が必要になると考えられています。

例題　工事損失引当金

　次の資料に基づいて、各年度において必要な仕訳を示しなさい。

［資　料］

1．当社は、工場の建設についての契約を締結した。なお、工事契約は一定の期間にわたり充足される履行義務であり、履行義務の充足にかかる進捗度を合理的に見積もることができる。また、契約で取り決められた当初の工事収益総額は20,000千円である。工事原価総額の当初見積額は19,000千円である。

2．工場完成までの期間は3年間を予定している。

3．X1年度末およびX2年度末において、工事原価総額の見積額はそれぞれ19,200千円および21,000千円に増加したが、工事契約金額の見直しは行われなかった。

4．当社は、決算日における工事進捗度を原価比例法により算定している。各年度で見積もられた工事収益総額、工事原価総額および決算日における工事進捗度は次のとおりである。

（単位：千円）

	X1年度	X2年度	X3年度
工事収益総額	20,000	20,000	20,000
過年度に発生した工事原価	―	4,800	15,120
当期に発生した工事原価	4,800	10,320	5,880
完成までに要する工事原価	14,400	5,880	―
工事原価総額	19,200	21,000	21,000
工事利益総額（損失）	800	△1,000	△1,000
決算日における工事進捗度	25%注1	72%注2	100%

注1　X1年度の進捗度25%（＝4,800千円÷19,200千円×100%）

注2　X2年度の進捗度72%（＝15,120千円÷21,000千円×100%）

解答

（仕訳の単位：千円）

〈X1年度の会計処理〉

（完成工事原価）	4,800	（未成工事支出金）	4,800
（契約資産）	5,000	（完成工事高）	5,000*1

＊1　20,000千円×25%＝5,000千円

〈X2年度の会計処理〉

（完成工事原価）	10,320	（未成工事支出金）	10,320
（契約資産）	9,400	（完成工事高）	9,400*2
（完成工事原価）	280	（工事損失引当金）	280*3

＊2　20,000千円×72%－5,000千円＝9,400千円

＊3　1,000千円（見積工事損失）
　　　－{920千円（X2年度計上損失）－200千円（X1年度計上利益）}
　　　　　　10,320千円－9,400千円　　　　5,000千円－4,800千円
　　　＝280千円

〈X3年度の会計処理〉

（完成工事原価）	5,880	（未成工事支出金）	5,880
（契約資産）	5,600	（完成工事高）	5,600*4
（工事損失引当金）	280	（完成工事原価）	280

＊4　20,000千円－（5,000千円＋9,400千円）＝5,600千円

工事損失引当金の計上金額は、将来の損失となる部分です。つまり、見積工事損失から当期以前までの損失額を控除した額となります。なお、工事損失引当金繰入額は売上原価に含めます。

CHAPTER 8

工事契約会計

工事損失引当金と引当金の計上要件

　引当金の計上要件とは、将来の特定の費用または損失であって、その発生が当期以前の事象に起因し、発生の可能性が高く、かつ、その金額を合理的に見積もることができることです。

　工事損失引当金をこの計上要件にあてはめてみましょう。

　特定の工事契約の履行により発生すると見込まれる損失は、将来の特定の損失にあたります。その原因はさまざまですが、いずれの原因による場合であっても、過去の事象に起因するものと考えられます。

　そのため、工事損失の発生可能性が高く、かつ、その金額を合理的に見積もることができる場合には、引当金の計上要件を満たし、工事損失引当金を計上することになります。

問題 ▶▶▶ 問題編の**問題1〜問題2**に挑戦しましょう！

CHAPTER

9

税金

企業はその営業活動を営んでいくうえでさまざまな税金を納付しなければなりません。ここでは、法人税・住民税及び事業税の納付時の処理および決算時の処理を学習していきましょう。

Chapter **9**

損益会計

税 金

≫ 税金の種類による違いをおさえましょう。

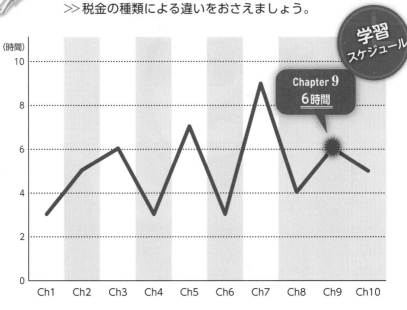

学習
スケジュール

Chapter **9**
6時間

Check List

- ☐ 通常の法人税・住民税・事業税の処理と表示を理解しているか？
- ☐ 法人税等の追徴税額の表示を理解しているか？
- ☐ 法人税の還付税額の表示を理解しているか？
- ☐ 消費税等の処理（税抜方式）と表示を理解しているか？
- ☐ その他の税金の処理と表示を理解しているか？

Link to 簿記論① **Chapter11 税金**

簿記論でも学習内容は概ね同じですが、期中の会計処理を中心に学習します。本書で全体像を見ておくと、理解の助けになるでしょう。

208

1：通常の法人税・住民税・事業税 理 計

▶ 通常の法人税・住民税・事業税の納付のしくみ

　法人税、**住民税**及び**事業税**は、各会計期間の利益（税務上は所得といいます）に対して課されるものなので、当期の負担に属する税額が確定するのは当期末になります。

　この税額について、翌期に確定申告を行い納付することになりますが、全額を確定申告時に納付するのではなく、その一部は当期中に中間納付（または予定納付）という形で先払いをします。

　したがって、確定申告時に納付する税額は中間納付税額を差し引いた残額になります。

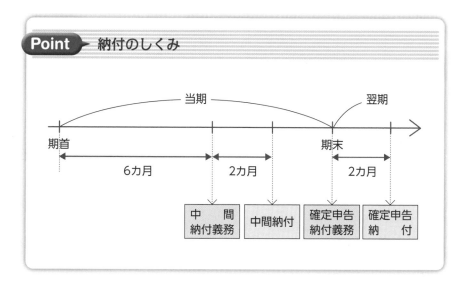

Point ▶ 納付のしくみ

当期 翌期

期首 期末

6カ月 2カ月 2カ月

中　間
納付義務　中間納付　確定申告
納付義務　確定申告
納　付

　当期末の時点でみると、当期の負担に属する税額のうち中間納付税額については納付済であるのに対し、確定申告により納付すべき額は未納ということになります。

通常の法人税・住民税の処理と表示 🚩

通常の法人税、住民税に係る貸借対照表の表示科目と、損益計算書の表示科目はすでに学習していますが、ここではさらに詳しくみていきましょう。

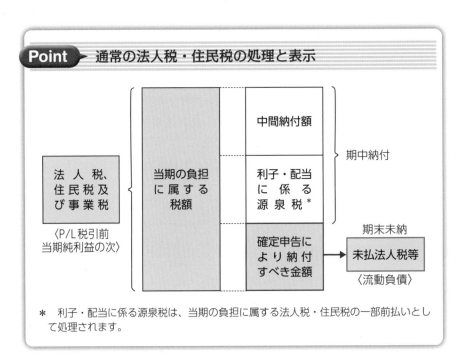

Point ▶ 通常の法人税・住民税の処理と表示

| 法人税、住民税及び事業税 | 当期の負担に属する税額 | 中間納付額 | 〉期中納付 |
| 利子・配当に係る源泉税 * |
| 確定申告により納付すべき金額 | → 未払法人税等 |

〈P/L税引前当期純利益の次〉

期末未納

〈流動負債〉

* 利子・配当に係る源泉税は、当期の負担に属する法人税・住民税の一部前払いとして処理されます。

例題　通常の法人税・住民税の処理と表示

　次の各取引の仕訳を示しなさい。なお、仕訳には貸借対照表・損益計算書の勘定科目（表示科目）を用いること。

(1)　当期中に法人税・住民税の中間納付額4,040千円を納付した。

(2)　当期中に銀行預金に係る利息400千円（60千円の源泉税引後）を受け取った。

(3)　当期の負担に属する法人税・住民税の総額は12,500千円であり、未納分につき未払計上する。

(4)　翌期に入り、確定申告とともに未納分を納付した。

解答

(仕訳の単位：千円)

(1)	(法人税、住民税及び事業税)	4,040	(現金及び預金)	4,040	
(2)	(現金及び預金)	400	(受取利息)	460	
	(法人税、住民税及び事業税)	60			
(3)	(法人税、住民税及び事業税)	8,400	(未払法人税等)	8,400*	
(4)	(未払法人税等)	8,400	(現金及び預金)	8,400	

＊　12,500千円－（4,040千円＋60千円）＝8,400千円

〈表示（単位：千円）〉

```
              損 益 計 算 書
      ：          ：        ：
  税引前当期純利益          ×××
  法人税、住民税及び事業税    12,500
  当 期 純 利 益           ×××
```

事業税の処理と表示 📣

事業税には、法人税及び住民税とは異なり、企業の所得に対して課せられる税額（**所得割**に係る法人事業税）と企業の資本等の金額や企業の付加価値に対して課せられる税額（**資本割**および**付加価値割**に係る法人事業税）があり、それぞれ処理・表示方法が異なります。

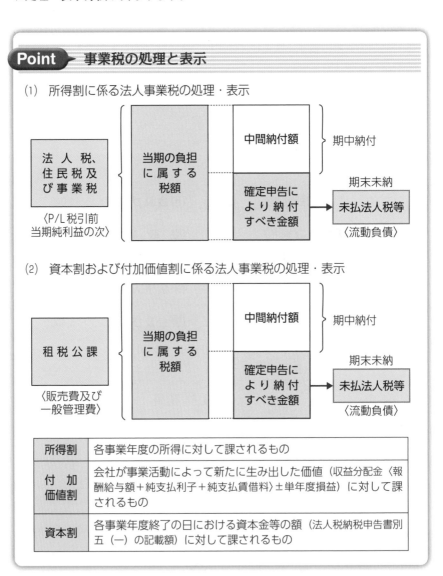

所得割	各事業年度の所得に対して課されるもの
付加価値割	会社が事業活動によって新たに生み出した価値（収益分配金〈報酬給与額＋純支払利子＋純支払賃借料〉±単年度損益）に対して課されるもの
資本割	各事業年度終了の日における資本金等の額（法人税納税申告書別五（一）の記載額）に対して課されるもの

212

例題 事業税の処理と表示

　次の各取引の仕訳を示しなさい。なお、仕訳には貸借対照表・損益計算書の勘定科目（表示科目）を用いること。また、事業税以外の税金は考慮外とする。

(1) 当期中に事業税の中間納付額840千円を納付した。なお、中間納付額の内訳は、所得割分630千円、付加価値割分140千円および資本割分70千円である。

(2) 当期に係る事業税の確定申告により、翌期中に納付すべき額は1,080千円である。なお、その内訳については、所得割分810千円、付加価値割分180千円および資本割分90千円である。

(3) 翌期に入り未納分を納付した。

CHAPTER

9

税

金

解答　　　　　　　　　　　　　　　　　（仕訳の単位：千円）

(1)
| （法人税、住民税及び事業税） | 630 | （現金及び預金） | 840 |
| （租　税　公　課） | 210 | | |

(2)
| （法人税、住民税及び事業税） | 810 | （未払法人税等） | 1,080 |
| （租　税　公　課） | 270 | | |

(3)
| （未払法人税等） | 1,080 | （現金及び預金） | 1,080 |

〈表示（単位：千円)〉

損益計算書（当期）

販売費及び一般管理費

    ⋮   ⋮

租　税　公　課　　480

    ⋮   ⋮　　　　×××

税引前当期純利益　　　　　　×××

法人税、住民税及び事業税　　　1,440

    ⋮   ⋮　　　　⋮

貸借対照表（当期）

流　動　負　債

    未払法人税等　　　1,080

（参考）外形標準課税制度の概要

　法人事業税においては、物税（事業そのものに対して課される税金）としての性格の明確化、税収安定化等を図るため、資本金1億円超の法人を対象とし、所得に対する単一課税ではなく、一部を外形基準により課税する外形標準課税制度が設けられています。

(1)　適用対象

　　資本の金額または出資金額（以下「資本金」）が1億円超の法人です。

資本金1億円超の法人	→	対象法人
資本金1億円以下の法人	→	景気や地域経済への悪影響を考慮して、対象外

郵便はがき

101-8739

108

料金受取人払郵便

神田局
承認

5767

差出有効期間
2026年7月31
日まで

切手不要

東京都千代田区神田三崎町3-2-18

資格の学校TAC

カスタマーセンター

資料請求係 行

lilil·l··l·ll·il'ililil·llll·l··l·il·il·il·il·il·il·il·il·il·ili·ll

このハガキで「最新資料」の資料請求ができます		
住 所	□□□-□□□□	都道府県
名 前	フリガナ	電話番号 （　　　）
E-mail	＠ ※メールで資格や講座に関する情報を希望される方はご記入ください。	性 別　生年月日(西暦) 男・女　年　月　日
職 業	19.会社員　50.学生　90.その他（　　　　　　　　　　　）	

ご希望の項目に✓印をご記入ください。	☐ TAC税理士講座案内 資料請求
現在の学習状況について 該当する項目に ✓印をご記入ください。	☐ TACで学習している
	☐ 独学で学習している
	☐ 他のスクールで学習している

※必要事項を記入のうえ、ご投函ください。

2025年版 TAC出版

(2)　法人事業税の計算構造

　　外形標準課税対象法人に対して課せられる法人事業税の額は次のとおりです。

法人事業税 ＝ 所得割 ＋ 付加価値割 ＋ 資本割
　　　　　　　所得基準　　　　外形基準
　　　　　　　　　　　　　└─▶ 事業活動の大きさを表す基準

　　なお、付加価値割や資本割は販売費及び一般管理費となります。

(3)　付加価値割および資本割を販売費及び一般管理費とする理由

①　資本割の課税標準は各事業年度の資本金等の金額であり、付加価値割の課税標準についても、企業の活動価値を表すものと考えられ、いずれも所得割の課税標準である所得とは異なる考え方に基づき算定されるため。

②　その事業年度の利益に関連する金額を課税標準とする事業税以外の事業税は、原則として、損益計算書上営業費用項目として処理することとされており、また、その未納付額は「未払法人税等」に含めて貸借対照表の流動負債に記載することが実務においても定着しているため。

プラスα　法人税、住民税及び事業税について

　法人税、住民税及び事業税について、財務諸表上、計算すべき金額は次のようになります。

	法人税、住民税及び事業税の金額
損益計算書項目	法人税及び住民税の年税額と事業税の所得基準の年税額の合計
	P/L租税公課に計上すべき金額
	事業税の外形基準（付加価値割分および資本割分）の年額
貸借対照表項目	未払法人税額等の金額
	法人税、住民税及び事業税の確定申告で納付すべき金額

例題 事業税の処理と表示

　次の資料に基づいて、会社法および会社計算規則に準拠した損益計算書および貸借対照表（一部）を作成しなさい。

［資料1］残高試算表の一部

残　高　試　算　表　　　　（単位：千円）

法人税、住民税及び事業税	55,100	

［資料2］参考事項

1. 残高試算表の法人税、住民税及び事業税の内訳は、次のとおりである。

　① 法人税及び住民税の中間納付額　43,100千円

　② 事業税の中間納付額　12,000千円

　　　事業税の中間納付額は、所得割分9,000千円、付加価値割分2,000千円および資本割分1,000千円の合計額である。

2. 当期末において確定した法人税等に係る年額は次のとおりである。

　① 法人税及び住民税額　82,400千円

　② 事業税額　22,800千円

　　　事業税の年税額の内訳は、所得割分17,100千円、付加価値割分3,800千円および資本割分1,900千円の合計額である。

解答

損 益 計 算 書 （単位：千円）

販売費及び一般管理費
　　　⋮　　　　　　　　⋮
　租　税　公　課　　5,700
　　　⋮　　　　　　　　⋮　　　×××
税引前当期純利益　　　　　×××
法人税、住民税及び事業税　　99,500
　　　⋮　　　　　　　　⋮　　　　⋮

貸 借 対 照 表 （単位：千円）

流　動　負　債
　未払法人税等　　50,100

（仕訳の単位：千円）

(1)　期中の処理に係る修正

（租　税　公　課）	3,000*	（法人税、住民税及び事業税）	3,000

*　2,000千円 ＋ 1,000千円 ＝ 3,000千円
　　　付加価値割分　　資本割分

(2)　期末に係る処理

（法人税、住民税及び事業税）	47,400*1	（未 払 法 人 税 等）	50,100
（租　税　公　課）	2,700*2		

* 1　（82,400千円 － 43,100千円）＋（17,100千円 － 9,000千円）＝ 47,400千円
　　　　　法人税及び住民税分　　　　　　事業税（所得割分）

* 2　（3,800千円 ＋ 1,900千円）－（2,000千円 ＋ 1,000千円）＝ 2,700千円
　　　　　　　年税額　　　　　　　　　　中間納付額

外形基準に係る部分（付加価値割分および資本割分）については、租税公課（販売費及び一般管理費）として取り扱います。

2：法人税等の追徴税額

法人税等の追徴税額

　前期以前に係る法人税等の確定申告額について、修正申告や更正等により不足が生じた場合には、当該法人税等の追加納付が必要となります。この追加納付額を**追徴税額**といいます。

Point ▶ 法人税等の追徴税額の表示

　法人税等追徴税額として損益計算書の法人税、住民税及び事業税の次に表示します。

```
              損 益 計 算 書
         ⋮                    ⋮
   税引前当期純利益           × × ×
   法人税、住民税及び事業税    × × ×
   法人税等追徴税額           × × ×
   当 期 純 利 益            × × ×
```

　この追徴税額が期末現在未納であるときは、未払法人税等として貸借対照表の流動負債に表示します。

例題　追徴税額の処理と表示

　次の資料に基づいて、(1)必要となる仕訳および(2)損益計算書（一部）を作成しなさい。

［資　料］

1．前期に係る法人税の更正による追徴税額2,500千円がある。

2．1にともなう住民税の追徴税額1,500千円がある。

3．1、2いずれも期末未納である。

4．当該追徴税額は過去の誤謬に該当しない。

解答

（仕訳の単位：千円）

(1)　仕訳

（法人税等追徴税額）	4,000	（未払法人税等）	4,000

(2)　損益計算書（一部）

損　益　計　算　書　（単位：千円）

⋮	⋮
税引前当期純利益	×××
法人税,住民税及び事業税	×××
法人税等追徴税額	**4,000**
当　期　純　利　益	×××

法人税等追徴税額は、損益計算書において税引前当期純利益から減額されますが、金額には「△」を付さないのが慣行となっています。

問題 ⟫⟫⟫ 問題編の**問題1**に挑戦しましょう！

3：法人税等の還付税額　計

法人税等の還付税額 🚩

　前期以前に係る法人税等の確定申告額に対する更正等により過大額が生じた場合には、当該過大額は返還されることになります。この返還額を**還付税額**といいます。

Point ▶ 法人税等の還付税額の表示

　法人税等還付税額として損益計算書の法人税、住民税及び事業税の次に表示します。

<u>損 益 計 算 書</u>

⋮	⋮
税引前当期純利益	×××
法人税、住民税及び事業税	×××
法人税等還付税額	×××
当 期 純 利 益	×××

例題　**還付税額の処理と表示**

　次の資料に基づいて、⑴必要となる仕訳および⑵損益計算書（一部）を作成しなさい。

［資　料］

１．前期に係る法人税の還付3,000千円が確定した。

２．１の金額が普通預金口座に入金されたが、期末現在未処理である。

３．当該還付税額は過去の誤謬に該当しない。

解答 （仕訳の単位：千円）

⑴ **仕訳**

（現 金 及 び 預 金）　3,000　　（法人税等還付税額）　3,000

⑵ **損益計算書（一部）**

損 益 計 算 書 （単位：千円）
⋮ ⋮
税引前当期純利益 ×××
法人税、住民税及び事業税 ×××
法人税等還付税額 **3,000**
当 期 純 利 益 ×××

税効果会計の適用がある場合の損益計算書の表示

税効果会計の適用がある場合の損益計算書の表示は次のとおりです。

損 益 計 算 書
⋮ ⋮
税引前当期純利益 ×××
法人税、住民税及び事業税 ×××
法人税等還付税額 ×××
法 人 税 等 調 整 額 ×××
当 期 純 利 益 ×××

税効果会計については、次の **Chapter10** で学習します。ここでは軽くみておきましょう。

4：消費税等

 理 計

消費税等の意義

消費税等とは、国内における商品の販売、サービスの提供等に対して課税される間接税であり、国税である消費税と地方消費税の総称のことです。

 間接税とは税金を負担する人（担税者）と税金を納める人（納税義務者）が異なる税金のことです。消費税等では、担税者は一般消費者、納税義務者は事業者となります。

Point ― 消費税等のしくみ

消費税等の納付額は、事業者が得意先などから預かった消費税等から仕入先などに支払った消費税等を控除した残額となります。

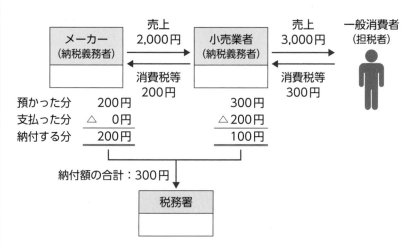

預かった分から支払った分を控除することで、取引全体の納付額は担税者が負担する消費税等の300円となります。

消費税等の税額計算

消費税等は、国税である消費税が消費税率7.8%および地方消費税が消費税額$\times\frac{22}{78}$（消費税率換算値2.2%）として算定されます。

Point ─ 消費税等の税率

例）売上高が1,000円の場合の消費税等

(1) 消費税額：売上高1,000円×消費税率7.8％＝78円

(2) 地方消費税額：消費税額78円×地方消費税率$\frac{22}{78}$＝22円

(3) (1)＋(2)＝消費税等100円

 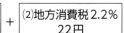

| (1)消費税7.8%
78円 | + | (2)地方消費税2.2%
22円 | = | (3)消費税等10%
100円 |

CHAPTER **9**

税金

消費税等の会計処理 🚩

消費税等には、**税抜方式**と**税込方式**の2つの会計処理があります。

(1) **税抜方式**

支払った消費税等を仮払消費税等で、預かった消費税等を仮受消費税等で処理する方法です。

(2) **税込方式**

支払った消費税等を資産の取得原価または費用に含め、預かった消費税等を収益に含める方法です（収益認識基準の適用下では採用できません）。

 本試験における重要性を考慮して、ここでは、税抜方式の処理方法を学習していきます。

例題 **消費税等の処理と表示①**

次の資料に基づいて、1. 取引時と2. 計算期間末の仕訳を示しなさい。

(1)　商品を税込価格15,400千円で仕入れ、代金は現金で支払った。

(2)　商品を税込価格55,000千円で売り上げ、代金は現金で受け取った。

(3)　消費税等の中間納付額160千円を現金で支払った。

(4)　販売費8,800千円（税込み）を現金で支払った。

(5)　器具備品を14,300千円（税込み）で購入し、代金は現金で支払った。

※　消費税等の税率を10%とし、消費税等の処理は税抜方式によることとする。

解答　　　　　　　　　　　　　　　　　　　　　（仕訳の単位：千円）

1．取引時

(1)
| （仕　　入　　高） | 14,000 | （現金及び預金） | 15,400 |
| （仮 払 消 費 税 等） | 1,400* | | |

＊　$15,400千円 \times \dfrac{0.1}{1.1} = 1,400千円$

(2)
| （現金及び預金） | 55,000 | （売　　上　　高） | 50,000 |
| | | （仮受消費税等） | 5,000* |

＊　$55,000千円 \times \dfrac{0.1}{1.1} = 5,000千円$

(3)
| （仮 払 消 費 税 等） | 160 | （現金及び預金） | 160 |

(4)
| （販　　売　　費） | 8,000 | （現金及び預金） | 8,800 |
| （仮 払 消 費 税 等） | 800* | | |

＊　$8,800千円 \times \dfrac{0.1}{1.1} = 800千円$

(5)
| （備　　　　　品） | 13,000 | （現金及び預金） | 14,300 |
| （仮 払 消 費 税 等） | 1,300* | | |

＊　$14,300千円 \times \dfrac{0.1}{1.1} = 1,300千円$

2．計算期間末

| （仮受消費税等） | 5,000 | （仮払消費税等） | 3,660* |
| | | （未払消費税等） | 1,340 |

＊　1,400千円＋160千円＋800千円＋1,300千円＝3,660千円

〈表示（単位：千円）〉

```
貸 借 対 照 表
流 動 負 債
    未 払 消 費 税 等　　1,340
```

なお、還付税額がある場合には、次のような会計処理を行います。

| （仮受消費税等） | ××× | （仮払消費税等） | ××× |
| （未収消費税等） | ××× | | |

```
貸 借 対 照 表
流 動 資 産
    未 収 消 費 税 等　×××
```

CHAPTER
9

税
金

仮払消費税等と仮受消費税等の差額と実際の納付額に差がある場合

　通常は、決算日における仮払消費税等と仮受消費税等との差額を未払消費税等または未収消費税等として処理します。

　しかし、仮払消費税等と仮受消費税等との差額と、実際の納付額または未収額との間にズレが生じることがあります。その場合は、次のように処理します。

(1) 「仮受消費税等−仮払消費税等＜未払消費税等」の場合、租税公課勘定で処理します。

| （仮受消費税等） | ××× | （仮払消費税等） | ××× |
| （租 税 公 課） | ××× | （未払消費税等） | ××× |

(2) 「仮受消費税等−仮払消費税等＞未払消費税等」の場合、雑収入勘定で処理します。

（仮受消費税等）	×××	（仮払消費税等）	×××
		（未払消費税等）	×××
		（雑　収　入）	×××

例題 消費税等の処理と表示②

次の資料に基づいて、当期末に必要となる仕訳を示しなさい。なお、消費税等の処理は税抜方式によることとする。

[資　料]

1. 当期の消費税等の確定納付額は57,200千円である。

2. 残高試算表において、仮受消費税等が206,400千円、仮払消費税等が152,300千円計上されている。

3. 残高試算表との相殺残高との差額が生じる場合には、租税公課または雑収入として処理するものとする。

解答

(仕訳の単位：千円)

| (仮受消費税等) | 206,400 | (仮払消費税等) | 152,300 |
| (租　税　公　課) | 3,100* | (未払消費税等) | 57,200 |

* 206,400千円 － 152,300千円 ＝ 54,100千円 ＜ 57,200千円
　　仮受消費税等　　　仮払消費税等　　　　　　　未払消費税等

　57,200千円 － 54,100千円 ＝ 3,100千円

〈表示（単位：千円）〉

損　益　計　算　書	
販売費及び一般管理費	
租　税　公　課	3,100

貸　借　対　照　表	
流　動　負　債	
未払消費税等	57,200

問題 >>> 問題編の**問題2**に挑戦しましょう！

その他の税金の処理と表示

この Chapter9 で学んだ項目以外にも税金はあると思うんですけど、それらの税金の会計処理と表示はどうなっているんですか？

この Chapter9 で学習したもの以外の税金については、その大半が費用性のものなので、租税公課として販売費及び一般管理費に表示します。そして、期末未納の場合は未払金として流動負債に表示します。
また、固定資産の取得に際して支払う諸税金は、当該固定資産の取得に係る付随費用として取得原価に含めるのが原則です。

CHAPTER **9**

税金

例題　その他の税金の処理と表示

　次の資料に基づいて、必要となる仕訳を示しなさい。なお、仕訳には貸借対照表・損益計算書の勘定科目（表示科目）を用いること。

［資　料］

　租税公課の内訳は次のとおりである。

1．法人税・住民税の中間申告納付額		11,000千円
2．事業税の中間申告納付額		1,600千円
当該金額のうち400千円が、外形基準に係るものである。		
3．土地の購入にともない支払った不動産取得税		2,800千円
4．固定資産税		3,300千円
5．車両運搬具の購入にともない支払った自動車取得税		300千円
6．自動車税		70千円
7．特許権の取得にともなう登録免許税		3,000千円

（仕訳の単位：千円）

（法人税、住民税及び事業税）	12,200*		（租　税　公　課）	18,300
（土　　　　地）	2,800			
（車　　　　両）	300			
（特　許　権）	3,000			

*　$\underset{\substack{\text{法人税・住民税}\\\text{の中間申告納付額}}}{\underline{11,000\text{千円}}}$ ＋ $\underset{\substack{\text{事業税の}\\\text{中間申告納付額}}}{\underline{(1,600\text{千円}}}$ － $\underset{\text{外形基準}}{\underline{400\text{千円})}}$ ＝ 12,200千円

〈表示（単位：千円)〉

損　益　計　算　書
販売費及び一般管理費
　租　税　公　課　　　3,770

5：税金に関する注記事項

▶ 税金に関する注記事項

消費税等の会計処理には、税抜方式と税込方式の2つがあります。

企業は、どちらの方式を採用しているかについて、利害関係者に明示するために、重要な会計方針として注記しなければいけません。

Point ─ 重要な会計方針に係る事項に関する注記

消費税等の会計処理における注記は次のように示します。

〈文例（税抜方式の場合）〉

消費税等の会計処理は税抜方式によっている。

問題 ≫≫ 問題編の**問題3**に挑戦しましょう！

CHAPTER

10

税効果会計

　ここでは、税効果会計を学習します。財務諸表の法人税等を税引前当期純利益に合理的に対応させる会計手続です。

　以降の各論点に関係してくるものなので、しっかりおさえておきましょう。

損益会計

税効果会計

>> 会計上と税務上の差を処理します！

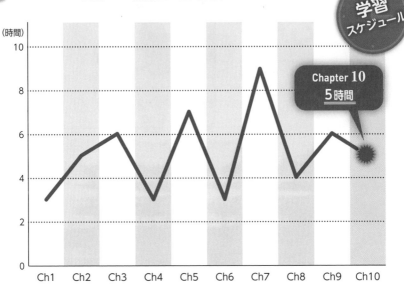

学習
スケジュール

Chapter 10
5時間

(時間)

Ch1　Ch2　Ch3　Ch4　Ch5　Ch6　Ch7　Ch8　Ch9　Ch10

Check List

☐ 税効果会計の目的を理解しているか？

☐ 繰延法の意義と目的を理解しているか？

☐ 資産負債法の意義と目的を理解しているか？

☐ 繰延税金資産の資産性について理解しているか？

☐ 繰延税金資産の回収可能性に関する判断基準について理解しているか？

Link to 簿記論① **Chapter12 税効果会計**

このChapterでは税効果会計を学習しますが、計算に関しては簿記論の内容と
ほぼ同じです。

財務諸表論では、その会計処理の背景と関連づけて学習しましょう。

1 ：税効果会計の概要   理 計

▌ 税効果会計の目的

　税効果会計は、企業会計上の資産または負債の額と課税所得計算上の資産または負債の額に相違がある場合において、法人税等の額を適切に期間配分することにより、法人税等を控除する前の当期純利益と法人税等を合理的に対応させることを目的とする手続です。

税効果会計に係る会計基準の設定に関する意見書二

1　法人税等の課税所得の計算に当たっては企業会計上の利益の額が基礎となるが、企業会計と課税所得計算とはその目的を異にするため、収益又は費用（益金又は損金）の認識時点や、資産又は負債の額に相違が見られるのが一般的である。

　　このため、税効果会計を適用しない場合には、課税所得を基礎とした法人税等の額が費用として計上され、法人税等を控除する前の企業会計上の利益と課税所得とに差異があるときは、法人税等の額が法人税等を控除する前の当期純利益と期間的に対応せず、また、将来の法人税等の支払額に対する影響が表示されないことになる。

　　このような観点から、『財務諸表』の作成上、税効果会計を全面的に適用することが必要と考える。

 「税効果会計に係る会計基準」では、法人税等を、収益力を算定するうえでのマイナス項目、すなわち費用としてとらえています。

▌ 企業会計上の税引前当期純利益と法人税法上の所得の関係

　企業会計上、法人税等は、損益計算書末尾において税引前当期純利益から控除する形式で表示して当期純利益を求めます。

　そしてこの法人税等は、税法上の利益（所得といいます）に、法人税法上の税率を掛けることにより算定されます。

> **税引前当期純利益＝収益－費用**

> **所得＝益金－損金**

ここで、税引前当期純利益と所得の中身や金額が全く同一であれば問題は生じませんが、企業会計と税法では、次のようにそれぞれ目的が異なるため、結果として、税引前当期純利益と所得の中身や金額も異なることになります。

企業会計の目的	企業の業績評価に役立つ情報の算定・開示
法人税法の目的	課税の公平化・国家財政への配慮

▶ 収益・費用と益金・損金との違い

　企業会計と法人税法の目的が異なる以上、利益の算定要素である収益・費用と、所得の算定要素である益金・損金の考え方にも違いが生じてきます。

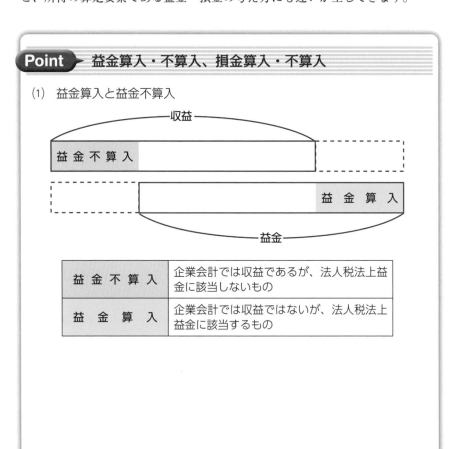

Point ▶ 益金算入・不算入、損金算入・不算入

(1)　益金算入と益金不算入

益 金 不 算 入	企業会計では収益であるが、法人税法上益金に該当しないもの
益 金 算 入	企業会計では収益ではないが、法人税法上益金に該当するもの

(2)　損金算入と損金不算入

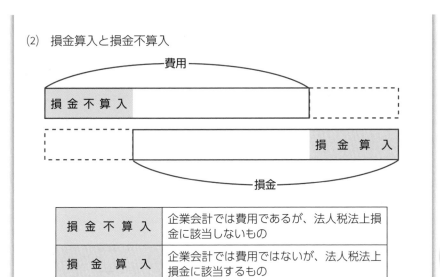

損 金 不 算 入	企業会計では費用であるが、法人税法上損金に該当しないもの
損 金 算 入	企業会計では費用ではないが、法人税法上損金に該当するもの

CHAPTER
10

税効果会計

▶ 会計上「あるべき税金費用」の額と「実際計上額である法人税等」の額の調整

　損益計算書に計上される法人税、住民税及び事業税の金額についても、企業活動を行ううえでの費用、すなわち会計上「あるべき税金費用」の額とし、税引前当期純利益との対応を図る必要があります。

　そこで、財務諸表に、会計上「あるべき税金費用」の額を計上するために、税効果会計を適用し、**法人税等調整額**を計上します。

Point ▶ 「あるべき税金費用」の額の計上

　「実際計上額である法人税等」の額と「会計上あるべき税金費用」の額との差額を法人税等調整額として計上することにより調整を行います。

(1)　税効果会計の適用がない場合（税率：30%）

```
            ⋮            ⋮
税引前当期純利益          10,000  ┓
法人税、住民税及び事業税    3,200  ┃ 対応しない
当期純利益               6,800
```

(2)　税効果会計の適用がある場合（税率：30%）

```
            ⋮                     ⋮
税引前当期純利益                  10,000  ◀
法人税、住民税及び事業税  3,200            ┃ 対応する
法人税等調整額           △200    3,000  ◀
当期純利益                         7,000
```

例題 ▶ 税効果会計①

　次のケースに基づいて、法人税等調整額の金額を答えなさい。

《ケース1》

　第1期に売掛金の貸倒れが3,000千円発生し、会計上は貸倒処理したが、税法上、第1期においてはその貸倒れについて認められなかった。なお、諸収益は30,000千円、貸倒損失以外の諸費用は9,000千円であり、貸倒れ以外に企業会計と税法との違いはないものとする。また、税率は30%として計算する。

解答

法人税等調整額：△900千円

3,000千円 × 30% = 900千円

まず、税効果会計を適用していない損益計算書をみてみましょう。

・第1期（単位：千円）
〈企業会計上〉

| （貸 倒 損 失) | 3,000 | （売 掛 金) | 3,000 |

〈税 法 上〉

| 仕 訳 な し |

〈企業会計上〉　　　　　　　　　　　　　　　〈税法上〉
損益計算書（第1期）

諸　収　益	30,000		益　　金	30,000
諸　費　用	9,000		損　　金	9,000
貸 倒 損 失	3,000			
税引前当期純利益	18,000		所　　得	21,000
法 人 税 等	6,300 ◄――		税　　率	×30%
当 期 純 利 益	11,700		法 人 税 等	6,300

 このままでは、企業会計上の税引前当期純利益18,000千円と、法人税等6,300千円が対応していません（税引前当期純利益の30%となりません）。そこで、税効果会計を適用します。

〈企業会計上〉　　　　　　　　　　　　　　　〈税法上〉
損益計算書（第1期）

諸　収　益		30,000	益　　金	30,000
諸　費　用		9,000	損　　金	9,000
貸 倒 損 失		3,000		
税引前当期純利益		18,000	所　　得	21,000
法 人 税 等	6,300 ◄――		税　　率	×30%
法人税等調整額	（△)900	5,400	法 人 税 等	6,300
当 期 純 利 益		12,600		

法人税等調整額の△900千円は、費用と損金のズレ（または売掛金のズレ）3,000千円に税率30%を掛けて調整した額です。
このように、税効果会計を適用すると、税引前当期純利益と法人税等が対応します。

例題　税効果会計②

次のケースに基づいて、第2期における法人税等調整額の金額を求めなさい。

《ケース2》

ケース1で、第1期において税法上認められていなかった貸倒れ3,000千円が、第2期において税法上貸倒れとして認められた。なお、第2期の諸収益は30,000千円、諸費用は12,000千円であり、貸倒れ以外に企業会計と税法との違いはないものとする。また、税率は30%として計算する。

解答　法人税等調整額：＋900千円

3,000千円 × 30% ＝ 900千円

《ケース1》と同様に、まずは税効果会計を適用していない損益計算書をみてみましょう。

・第2期（単位：千円）
〈企業会計上〉

仕　訳　な　し

〈税　法　上〉

（貸　倒　損　失）	3,000	（売　　掛　　金）	3,000

	〈企業会計上〉		〈税法上〉	
	損益計算書（第2期）			
諸　　収　　益	30,000	益　　　金	30,000
諸　　費　　用	12,000	損　　　金	12,000
		貸 倒 損 失	3,000
税引前当期純利益	18,000	所　　　得	15,000
法 人 税 等	4,500 ◀—	税　　　率	×30%
当 期 純 利 益	13,500	法 人 税 等	4,500

このままでは、企業会計上の税引前当期純利益18,000千円と法人税等4,500千円が対応していません（税引前当期純利益の30％となりません）。そこで、税効果会計を適用します。

	〈企業会計上〉			〈税法上〉	
	損益計算書（第2期）				
諸　　収　　益		30,000	益　　　金	30,000
諸　　費　　用		12,000	損　　　金	12,000
税引前当期純利益		18,000	貸 倒 損 失	3,000
法 人 税 等	4,500 ◀—		所　　　得	15,000
法人税等調整額	（＋)900	5,400	税　　　率	×30%
当 期 純 利 益		12,600	法 人 税 等	4,500

法人税等調整額の＋900千円は、《ケース1》の場合と同様に、費用と損金のズレ（または売掛金のズレ）3,000千円に税率30％を掛けて調整した額です。
このように、税効果会計を適用すると、税引前当期純利益と法人税等が対応します。

2：税効果会計の処理方法

繰延法

繰延法とは、調整すべき差異を、会計上の収益および費用と、税務上の益金および損金の差額から把握し、これに現行の税率を適用して算定した額を、調整すべき税効果額として処理する方法のことをいいます。

> 繰延法での税効果会計を行う目的は、発生年度における法人税等の額と税引前当期純利益とを期間的に対応させることです。

資産負債法

資産負債法とは、調整すべき差異を、会計上の資産および負債と、税務上の資産および負債の差額から把握し、これに将来施行されるべき税率（予測税率）を適用して算定した額を、調整すべき税効果額として処理する方法のことをいいます。

> 資産負債法での税効果会計を行う目的は、将来の法人税等の支払額に対する影響を表示することです。

なお、現行の税効果会計に係る会計基準では、税効果会計の方法として資産負債法が採用されています。

　税効果会計の方法には繰延法と資産負債法とがあるが、本会計基準では、資産負債法によることとし、次のような基準を設定することとする。
1　一時差異（貸借対照表上の資産及び負債の金額と課税所得計算上の資産及び負債の金額との差額）に係る税金の額を適切な会計期間に配分し、計上するものとする。（以下、省略）

Point 資産負債法の具体的内容

　資産負債法は、会計上の金額と税務上の金額との間に差異があり、会計上の資産または負債が将来回収または決済されるなどにより当該差異が解消され、税金を減額または増額させる効果がある場合に、**繰延税金資産**または**繰延税金負債**を計上する方法です。

　したがって、資産負債法に適用される税率は、一時差異が解消される将来の年度に適用される税率となります。

CHAPTER **10**

税効果会計

	繰　延　法	資産負債法
目　　　　的	発生年度における法人税等の額と税引前当期純利益とを期間的に対応させること	将来の法人税等の支払額に対する影響を表示すること
対象となる差異	期間差異	一時差異
重視される期間	発生年度	解消年度
適用される税率	現行の税率（発生年度における適用税率）	将来施行されるべき税率（解消年度における予測税率）

プラス α 一時差異と期間差異の相違

　一時差異と期間差異の範囲はほぼ一致しますが、有価証券等の資産または負債の評価替えにより、損益計算書を経由せずに直接純資産の部に計上された評価差額は、一時差異ではありますが期間差異には該当しません。

　なお、期間差異に該当する項目は、すべて一時差異に含まれます。

▶ 一時差異の把握

　企業会計上と法人税法上の資産・負債の金額にズレ（以下、「差異」といいます）が生じることがありますが、そのうち税効果会計の適用対象となる差異のことを一時差異といいます。

　一時差異とは、会計上、収益・費用として取り扱い、税法上も益金・損金として取り扱う項目ですが、認識時点（計上する期間）にズレが生じることに起因する差異のことをいいます。

　なお、税効果会計の対象となる一時差異は、さらに将来減算一時差異と将来加算一時差異に細分されます。

▶ 永久差異

　永久差異とは、会計上の収益・費用と税法上の益金・損金の取扱い自体が異なることから生じ、永久に解消されることのない差異のことをいいます。

　たとえば、受取配当金の取扱いについて、会計上では配当金を受け取った期の収益として認識しますが、税法上では受取配当金のうち税法で定められた額については永久に益金として取り扱いません。

Point ▶ 永久差異の主な具体例

受取配当金	会計上は収益として取り扱い、税法上は一部について永久に益金として取り扱わない。
交　際　費	会計上は費用として取り扱い、税法上は限度額を超過した額について永久に損金として取り扱わない。
寄　附　金	会計上は費用として取り扱い、税法上は限度額を超過した額について永久に損金として取り扱わない。
罰　科　金	会計上は損失として取り扱い、税法上は永久に損金として取り扱わない。

コウ フ バ カ ウケ
交・附で罰科・受（甲府でバカウケ）と覚えましょう。

▐ 法定実効税率の算定

　税効果会計に係る調整額は、一時差異に対して一定の税率を掛けて求めます。

　税効果会計により調整の対象となる税金（法人税等）には、法人税のほか、住民税（都道府県民税、市町村民税）、地方法人税および主に利益を課税標準とする事業税が含まれます。

$$法定実効税率＝\frac{法人税率×（1＋地方法人税率＋住民税率）＋事業税率}{1＋事業税率}$$

税効果会計の処理方法は資産負債法を採用していることから、適用する税率は予測税率となります。したがって、税率の変更があった場合には、変更後の税率を用いることとなる点に注意しましょう。

例題 **税効果会計③**

法定実効税率を求めなさい。

法人税率20.0%、地方法人税率4.4%、住民税率12.9%、事業税率9.6%である。

なお、税率は百分率にて小数点以下第2位未満を切捨てること。

解答 **法定実効税率：30.16%**

$$\frac{0.20 \times (1 + 0.044 + 0.129) + 0.096}{1 + 0.096} = 0.30164\cdots \rightarrow 30.16\%$$

3：繰延税金資産

理 計

▶ 将来減算一時差異の具体例

将来減算一時差異とは、差異が生じたときに所得の計算上加算され、その差異が解消される将来において、所得の計算上減算されるものです。

将来減算一時差異の発生態様をみると、特定の資産に関連して生じるものと特定の負債に関連して生じるものとに大別されます。

特定の資産に関連して生じる将来減算一時差異	① 金銭債権→貸倒引当金繰入超過額 ② 棚卸資産→評価損否認額 ③ 固定資産→減価償却超過額 など
特定の負債に関連して生じる将来減算一時差異	① 未払法人税等→未払事業税 ② 負債性引当金→引当金繰入超過額 など

CHAPTER **10**

税効果会計

▶ 税効果額の算定

将来減算一時差異を把握したあと、次の算式により税効果額を算定します。

> **税効果額＝将来減算一時差異の金額×法定実効税率**

会計上は、次のような処理が行われます。

(1) 発生時の仕訳

（繰延税金資産） B/S資産の部	×××	（法人税等調整額）	×××

(2) 解消時の仕訳

（法人税等調整額）	×××	（繰延税金資産） B/S資産の部	×××

例題 **税効果会計④**

次の資料に基づいて、税効果会計を適用した場合の第1期および第2期における仕訳を示しなさい。

[資　料]

1．第1期

① 第1期末の商品10,000千円につき過剰生産を原因とする評価損2,000千円を計上する。ただし、法人税法上、この商品評価損の損金算入が認められないため、所得の計算上否認された。

　　この評価損に係る商品は、翌期において販売することを予定している。

② 税引前当期純利益は22,000千円である。

③ 法人税、住民税及び事業税は7,200千円と計算されている。

④ 法定実効税率は30％として計算すること。

2．第2期

① 第2期において、商品が販売されたことにより、第1期末に計上した将来減算一時差異が解消された。

② 税引前当期純利益は22,000千円である。

③ 法人税、住民税及び事業税は6,000千円と計算されている。

④ 法定実効税率は30％として計算すること。

解答　　　　　　　　　　　　　　　　　　　（仕訳の単位：千円）

1．第1期

| （繰延税金資産） | 600 | （法人税等調整額） | 600 |

2．第2期

| （法人税等調整額） | 600 | （繰延税金資産） | 600 |

(1)　第1期

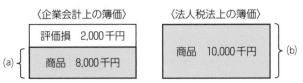

(a) 企業会計上の商品の簿価：商品10,000千円－評価損2,000千円
　　　　　　　　　　　　　　　　＝8,000千円

(b) 法人税法上の商品の簿価：商品10,000千円（評価損の否認の結果）

(c) 法人税等調整額：（税法上簿価10,000千円－会計上簿価8,000千円）
　　　　　　　　　　×法定実効税率30％＝600千円

〈表示（単位：千円）〉

損 益 計 算 書

：		：
税引前当期純利益		22,000
法人税、住民税及び事業税	7,200	
法 人 税 等 調 整 額	△600	6,600
当 期 純 利 益		15,400

貸 借 対 照 表

投資その他の資産
　繰延税金資産　　600

(2) 第2期

〈表示（単位：千円）〉

損 益 計 算 書

：		：
税引前当期純利益		22,000
法人税、住民税及び事業税	6,000	
法 人 税 等 調 整 額	600	6,600
当 期 純 利 益		15,400

貸 借 対 照 表

投資その他の資産
　繰延税金資産　　0

CHAPTER 10
税効果会計

▶ 繰延税金資産の資産性

　繰延税金資産は、将来の法人税等の支払額を減額する効果を有し、一般的には法人税等の前払額に相当するため、その資産性が認められます。

> 資産負債法のもとでの繰延税金資産は、将来減算一時差異が解消する期において減少すると見積もられる税金支払額を示すものです。

プラスα　繰延税金資産の資産性の理由

　繰延税金資産は、それに起因する差異が解消される将来の期間の税金支払額を減額することから、将来、企業にキャッシュをもたらす能力（キャッシュアウト・フローを減額する能力）があるもの、すなわち経済的資源を有すると考えられることから、資産性が認められます。

▶ 繰延税金資産の回収可能性に関する判断基準

　繰延税金資産は、次の３つのいずれかを満たすことにより、回収可能性（資産性）があるものと判断されます。

> ①　将来減算一時差異の解消見込年度を含む期間に、一時差異等加減算前課税所得が発生する可能性が高いと見込まれること。
> ②　将来減算一時差異の解消見込年度を含む期間に、一時差異等加減算前課税所得が発生する可能性が高いタックスプランニングが存在すること。
> ③　将来減算一時差異の解消見込年度を含む期間に、将来加算一時差異の解消が見込まれること。

> 資産負債法による繰延税金資産は、一時差異が将来解消する期間における法人税等の減額効果を見積計上するものです。そのため、その計上にあたり回収可能性を有することが必要になるのです。なお、一時差異等加減算前課税所得とは、将来の事業年度における課税所得の見積額から、当該事業年度において解消することが見込まれる当期末に存在する将来加算（減算）一時差異の額を除いた額のことです。

4：繰延税金負債　理 計　

将来加算一時差異の具体例

　将来加算一時差異とは、差異が生じたときに所得の計算上減算され、その差異が解消される将来において、所得の計算上、加算されるものです。

　将来加算一時差異の具体例には次のようなものがあります。

将来加算一時差異	①　その他有価証券を時価評価し、評価益が生じる場合 ②　積立金方式による固定資産の圧縮記帳（圧縮積立金）

　本試験では、将来加算一時差異に係る処理について、その他有価証券を時価評価した場合に生じるケースが多く出題されています。

税効果額の算定

　将来加算一時差異を把握したあと、次の算式により税効果額を算定します。

> **税効果額＝将来加算一時差異の金額×法定実効税率**

　また、発生時と解消時には、会計上次のような処理が行われます。

(1)　発生時の仕訳

（法人税等調整額）	×××	（繰延税金負債） B/S負債の部	×××

CHAPTER **10** 税効果会計

(2) 解消時の仕訳

(繰延税金負債)	×　×　×	(法人税等調整額)	×　×　×
B/S負債の部			

 具体的な計算例については、財務諸表論2で取り扱います。ここでは、繰延税金負債の概念だけおさえておきましょう。

▶ 繰延税金負債の負債性 🚩

　繰延税金負債は、将来の法人税等の支払額を増額する効果を有し、法人税等の未払額に相当するため、その負債性が認められます。

 事業休止等により、会社が清算するまでに課税所得が発生しないことが合理的に見込まれる場合には、繰延税金負債の金額だけ将来において税金の支払いが増額するとは考えられないため、支払可能性がないものとして繰延税金負債は計上できないこととなります。

問題 ≫≫ 問題編の**問題1〜問題2**に挑戦しましょう！

5：財務諸表の表示 理 計 Rank A

▌法人税等調整額の表示

税効果会計の適用に係る会計処理の結果計上される法人税等調整額は、その純額を損益計算書上、法人税、住民税及び事業税の次に表示します。

▌繰延税金資産・繰延税金負債の表示

繰延税金資産は、固定資産（投資その他の資産）の区分に表示し、繰延税金負債は、固定負債の区分に表示します。

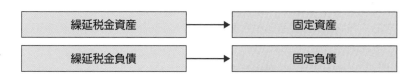

商品は流動資産ですが、商品評価損の損金不算入により生じた繰延税金資産は投資その他の資産に計上します。差異が生じた資産・負債の表示区分と異なる場合があるため、注意しましょう。

また、繰延税金資産と繰延税金負債は、相殺して純額を貸借対照表に表示します。

CHAPTER 10 税効果会計

例題 **税効果会計⑤**

次の資料に基づいて、前期末と当期末に必要な会計処理を示しなさい。

［資料１］残高試算表の一部

残　高　試　算　表			（単位：千円）
法人税, 住民税及び事業税	200,000	繰 延 税 金 負 債	31,000
繰 延 税 金 資 産	19,000		

［資料２］繰延税金資産および繰延税金負債の当期末残高

	前期末残高	当期末残高
繰延税金資産	19,000千円	30,000千円
繰延税金負債	31,000千円	28,000千円

　なお、残高試算表の繰延税金資産および繰延税金負債は前期末残高である。

　また、当期末における貸借対照表の表示にあたっても、繰延税金資産と繰延税金負債を相殺した純額を表示するものとする。

解答　　　　　　　　　　　　　　　　（仕訳の単位：千円）

⑴　**前期末残高に係る処理**

（法人税等調整額）	19,000	（繰 延 税 金 資 産）	19,000
（繰 延 税 金 負 債）	31,000	（法人税等調整額）	31,000

⑵　**当期末残高に係る処理**

（繰 延 税 金 資 産）	30,000	（法人税等調整額）	30,000
（法人税等調整額）	28,000	（繰 延 税 金 負 債）	28,000

〈損益計算書および貸借対照表〉

①　損益計算書

（30,000千円－28,000千円）－（19,000千円－31,000千円）
　　　　　当期末　　　　　　　　　　　　前期末

＝14,000千円（貸方残）

∴　法人税、住民税及び事業税から控除

〈表示（単位：千円）〉

損 益 計 算 書

⋮　　　　　　　　　　　　　⋮

税引前当期純利益		×××
法人税、住民税及び事業税	200,000	
法 人 税 等 調 整 額	△14,000	186,000
当 期 純 利 益		×××

② 貸借対照表

<u>30,000千円</u> － <u>28,000千円</u> ＝ 2,000千円（繰延税金資産）
　繰延税金資産　　　繰延税金負債

〈表示（単位：千円）〉

貸 借 対 照 表

投資その他の資産	
繰延税金資産　　2,000	

CHAPTER
10

税効果会計

　1つ前の例題（税効果会計④）は、項目ごとに一時差異を示し、翌期にそれら
が解消されたかどうかを追跡する形で税効果の処理を行う問題でした。これに
対して、本問では前期末・当期末の一時差異（＊）を示し、差額で法人税等調
整額を算定しており、個々の一時差異の発生・解消状況は記されていません。
実務上は、後者の方法で算定されるイメージでよいでしょう。
（＊正確には繰延税金資産・繰延税金負債の金額（＝一時差異×法定実効税率））

例題 税効果会計⑥
....

　次の資料に基づいて、税効果会計を適用した場合の当期末における会計処理を示しなさい。

［資料1］残高試算表の一部

	残　高　試　算　表	（単位：千円）
繰 延 税 金 資 産	90,000 ｜ 退職給付引当金	300,000

［資料2］参考事項

1．残高試算表の退職給付引当金は前期末残高である。

2．当期末において退職給付費用20,000千円を繰り入れる。

3．残高試算表の繰延税金資産は、退職給付引当金の前期末残高に係るものである。

4．退職給付引当金は、その金額が将来減算一時差異に該当するため、税効果会計を適用して調整を行うこととしている。なお、法定実効税率は30%とする。

解答
　　　　　　　　　　　　　　　　　　（仕訳の単位：千円）

(1)　退職給付費用の繰入れ

（退 職 給 付 費 用）	20,000	（退職給付引当金）	20,000

(2)　将来減算一時差異の前期末残高および当期末残高から税効果額を算定する場合

（法人税等調整額）	90,000	（繰 延 税 金 資 産）	90,000
（繰 延 税 金 資 産）	96,000*1	（法人税等調整額）	96,000

＊1　(300,000千円＋20,000千円)×30％＝96,000千円
　　　　退職給付引当金の当期末残高

　　　また、(2)の方法に代えて次のように処理することもできます。

(3)　将来減算一時差異の当期増加額から税効果額を算定する場合

（繰 延 税 金 資 産）	6,000*2	（法人税等調整額）	6,000

＊2　96,000千円－90,000千円＝6,000千円
　　　　　＊1

〈損益計算書および貸借対照表〉

(2)の方法、(3)の方法のいずれを採用した場合も、財務諸表上の各項目の金額は同様となります。

〈表示（単位：千円)〉

損 益 計 算 書

⋮	⋮
税引前当期純利益	×××
法人税、住民税及び事業税 ×××	
法人税等調整額 △6,000	×××
当 期 純 利 益	×××

貸 借 対 照 表

投資その他の資産

　　繰 延 税 金 資 産　96,000

問題 ≫≫ 問題編の**問題3～問題5**に挑戦しましょう！

CHAPTER **10**

税効果会計

255

6：税効果会計に関する注記 計

▶ 税効果会計に関する注記

　税効果会計に関する注記は、繰延税金資産および繰延税金負債の発生の主な原因を記載します。

　なお、繰延税金資産については、その算定にあたって控除される金額（**回収可能性が認められない金額**）がある場合、その当該金額（**評価性引当額**）も記載することに注意しましょう。

例題　税効果会計⑦

　次の資料に基づいて、税効果会計に関する注記を作成しなさい。

[資　料] 繰延税金資産および繰延税金負債の当期末残高の内訳

繰 延 税 金 資 産	貸倒引当金	10,626千円
	賞与引当金	72,000千円
	未払事業税	7,080千円
	退職給付引当金	46,560千円
	有形固定資産	34,185千円注
繰 延 税 金 負 債	その他有価証券評価差額金	5,100千円

注：土地に対する減損損失に係る繰延税金資産5,742千円が含まれている。
　　当該繰延税金資産は回収可能性がないものと判断される。
　　なお、その他の繰延税金資産は回収可能性があるものと判断される。

解答

繰延税金資産および繰延税金負債の発生原因別の主な内訳	
繰　延　税　金　資　産	
貸　倒　引　当　金	10,626千円
賞　与　引　当　金	72,000千円
未　払　事　業　税	7,080千円
退　職　給　付　引　当　金	46,560千円
有　形　固　定　資　産	34,185千円
繰　延　税　金　資　産　小　計	170,451千円
評　価　性　引　当　額	△5,742千円
繰　延　税　金　資　産　合　計	164,709千円
繰　延　税　金　負　債	
その他有価証券評価差額金	△5,100千円
繰　延　税　金　負　債　合　計	△5,100千円
繰　延　税　金　資　産　の　純　額	159,609千円

CHAPTER

10

税効果会計

問題 ≫≫ 問題編の**問題6**～**問題9**に挑戦しましょう！

索 引

〈執　筆〉TAC出版開発グループ

資格書籍に特化した執筆者グループ。会計士試験・司法試験等、難関資格の合格者が集結し、会計系から法律系まで幅広く、資格試験対策書の執筆・校閲をオールマイティにこなす。TAC税理士講座とタッグを組み、「みんなが欲しかった！ 税理士 簿記論の教科書＆問題集」「みんなが欲しかった！ 税理士 財務諸表論の教科書＆問題集」を執筆。主な著書に「みんなが欲しかった！ 簿記の教科書日商１級」ほか。

〈装　幀〉Malpu Design

2025年度版
みんなが欲しかった！　税理士　財務諸表論の教科書＆問題集
1　損益会計編

（2014年度版　2013年10月20日　初版　第1刷発行）
2024年8月9日　初　版　第1刷発行

編 著 者	T A C 株 式 会 社	（税理士講座）
発 行 者	多 田 敏 男	
発 行 所	TAC株式会社　出版事業部	（TAC出版）

〒101-8383
東京都千代田区神田三崎町3-2-18
電話 03 (5276) 9492（営業）
FAX 03 (5276) 9674
https://shuppan.tac-school.co.jp

印　　刷	株 式 会 社 光 　 邦
製　　本	東 京 美 術 紙 工 協 業 組 合

© TAC 2024　　　Printed in Japan

ISBN 978-4-300-11292-2
N.D.C. 336

「税理士」の扉を開くカギ

それは、合格できる教育機関を決めること!

あなたが教育機関を決める最大の決め手は何ですか?

通いやすさ、受講料、評判、規模、いろいろと検討事項はありますが、一番の決め手となること、それは「合格できるか」です。

TACは、税理士講座開講以来今日までの40年以上、「受講生を合格に導く」ことを常に考え続けてきました。そして、「最小の努力で最大の効果を発揮する、良質なコンテンツの提供」をもって多数の合格者を輩出し、今も厚い信頼と支持をいただいております。

令和5年度 税理士試験
TAC 合格祝賀パーティー

東京会場　ホテルニューオータニ

合格者から「喜びの声」を多数お寄せいただいています。

https://www.tac-school.co.jp/kouza_zeiri/zeiri_jisseki.html

2025年合格目標コース

反復学習でインプット強化! & 豊富な演習量で実践力強化!

対象者：初学者／次の科目の学習に進む方

2024年				2025年						
9月	10月	11月	12月	1月	2月	3月	4月	5月	6月	7月	8月

9月入学 基礎マスター＋上級コース（簿記・財表・相続・消費・酒税・固定・事業・国徴）
3回転学習！年内はインプットを強化、年明けは演習機会を増やして実践力を鍛える！
※簿記・財表は5月・7月・8月・10月入学コースもご用意しています。

9月入学 ベーシックコース（法人・所得）
2回転学習！週2ペース、8ヵ月かけてインプットを鍛える！

9月入学 年内完結＋上級コース（法人・所得）
3回転学習！年内はインプットを強化、年明けは演習機会を増やして実践力を鍛える！

12月・1月入学 速修コース（全11科目）
7ヵ月～8ヵ月間で合格レベルまで仕上げる！

3月入学 速修コース（消費・酒税・固定・国徴）
短期集中で税法合格を目指す！

税理士試験

対象者：受験経験者（受験した科目を再度学習する場合）

2024年				2025年						
9月	10月	11月	12月	1月	2月	3月	4月	5月	6月	7月	8月

9月入学 年内上級講義＋上級コース（簿記・財表）
年内に基礎・応用項目の再確認を行い、実力を引き上げる！

9月入学 年内上級演習＋上級コース（法人・所得・相続・消費）
年内から問題演習に取り組み、本試験時の実力維持・向上を図る！

12月入学 上級コース（全10科目）
※住民税の開講はございません
講義と演習を交互に実施し、答案作成力を養成！

税理士試験

※2024年7月12日時点の情報です。最新の情報は、TAC税理士講座ホームページをご確認ください。

"入学前サポート"を活用しよう!

無料セミナー
&個別受講相談

無料セミナーでは、税理士の魅力、試験制度、科目選択の方法や合格のポイントをお伝えしていきます。セミナー終了後は、個別受講相談でみなさんの疑問や不安を解消します。

TAC 税理士 セミナー 検索
https://www.tac-school.co.jp/kouza_zeiri/zeiri_gd_gd.htm

無料Webセミナー

TAC動画チャンネルでは、校舎で開催しているセミナーのほか、Web限定のセミナーも多数配信しています。受講前にご活用ください。

TAC 税理士 動画 検索
https://www.tac-school.co.jp/kouza_zeiri/tacchannel.html

体験入学

教室講座開講日(初回講義)は、お申込み前でも無料で講義を体験できます。講師の熱意や校舎の雰囲気を是非体感してください。

TAC 税理士 体験 検索
https://www.tac-school.co.jp/kouza_zeiri/zeiri_gd_taiken.html

税理士11科目
Web体験

「税理士11科目Web体験」では、TAC税理士講座で開講する各科目・コースの初回講義をWeb視聴いただけるサービスです。講義の分かりやすさを確認いただき、学習のイメージを膨らませてください。

TAC 税理士 検索
https://www.tac-school.co.jp/kouza_zeiri/taiken_form.html

税理士講座のご案内

チャレンジコース

受験経験者・独学生待望のコース！

4月上旬開講！

開講科目	簿記・財表・法人 所得・相続・消費

基礎知識の底上げ 徹底した本試験対策

チャレンジ講義 ＋ チャレンジ演習 ＋ 直前対策講座 ＋ 全国公開模試

受験経験者・独学生向けカリキュラムが一つのコースに！

※チャレンジコースには直前対策講座（全国公開模試含む）が含まれています。

直前対策講座

5月上旬開講！

本試験突破の最終仕上げ！

直前期に必要な対策が
すべて揃っています！

学習 メディア	教室講座・ビデオブース講座 Web通信講座・DVD通信講座・資料通信講座

\ 全11科目対応 /

開講科目	簿記・財表・法人・所得・相続・消費 酒税・固定・事業・住民・国徴

徹底分析！「試験委員対策」

即時対応！「税制改正」

毎年的中！「予想答練」

※直前対策講座には全国公開模試が含まれています。

チャレンジコース・直前対策講座ともに詳しくは2月下旬発刊予定の
「チャレンジコース・直前対策講座パンフレット」をご覧ください。

会計業界への
就職・転職支援サービス

TPB

TACの100%出資子会社であるTACプロフェッションバンク(TPB)は、会計・税務分野に特化した転職エージェントです。
勉強された知識とご希望に合ったお仕事を一緒に探しませんか？ 相談だけでも大歓迎です！ どうぞお気軽にご利用ください。

人材コンサルタントが無料でサポート

Step1 相談受付
完全予約制です。HPからご登録いただくか、各オフィスまでお電話ください。

Step2 面談
ご経験やご希望をお聞かせください。あなたの将来について一緒に考えましょう。

Step3 情報提供
ご希望に適うお仕事があれば、その場でご紹介します。強制はいたしませんのでご安心ください。

正社員で働く

● 安定した収入を得たい
● キャリアプランについて相談したい
● 面接日程や入社時期などの調整をしてほしい
● 今就職すべきか、勉強を優先すべきか迷っている
● 職場の雰囲気など、求人票でわからない情報がほしい

TACキャリアエージェント

https://tacnavi.com/

派遣で働く（関東のみ）

● 勉強を優先して働きたい
● 将来のために実務経験を積んでおきたい
● まずは色々な職場や職種を経験したい
● 家庭との両立を第一に考えたい
● 就業環境を確認してから正社員で働きたい

TACの経理・会計派遣

https://tacnavi.com/haken/

※ご経験やご希望内容によってはご支援が難しい場合がございます。予めご了承ください。　※面談時間は原則お一人様30分とさせていただきます。

自分のペースでじっくりチョイス

正社員・アルバイトで働く

● 自分の好きなタイミングで就職活動をしたい
● どんな求人案件があるのか見たい
● 企業からのスカウトを待ちたい
● WEB上で応募管理をしたい

Webで

TACキャリアナビ

https://tacnavi.com/kyujin/

TACプロフェッションバンク

■ 有料職業紹介事業 許可番号13-ユ-010678
■ 一般労働者派遣事業 許可番号(派)13-010932
■ 特定募集情報等提供事業 届出受理番号51-募-000541

東京オフィス
〒101-0051
東京都千代田区神田神保町 1-103 東京パークタワー 2F
TEL.03-3518-6775

大阪オフィス
〒530-0013
大阪府大阪市北区茶屋町 6-20 吉田茶屋町ビル 5F
TEL.06-6371-5851

名古屋 登録会場
〒453-0014
愛知県名古屋市中村区則武 1-1-7 NEWNO 名古屋駅西 8F
TEL.0120-757-655

TAC出版 書籍のご案内

TAC出版では、資格の学校TAC各講座の定評ある執筆陣による資格試験の参考書をはじめ、資格取得者の開業法や仕事術、実務書、ビジネス書、一般書などを発行しています！

TAC出版の書籍

*一部書籍は、早稲田経営出版のブランドにて刊行しております。

資格・検定試験の受験対策書籍

- ❂日商簿記検定
- ❂建設業経理士
- ❂全経簿記上級
- ❂税　理　士
- ❂公認会計士
- ❂社会保険労務士
- ❂中小企業診断士
- ❂証券アナリスト

- ❂ファイナンシャルプランナー(FP)
- ❂証券外務員
- ❂貸金業務取扱主任者
- ❂不動産鑑定士
- ❂宅地建物取引士
- ❂賃貸不動産経営管理士
- ❂マンション管理士
- ❂管理業務主任者

- ❂司法書士
- ❂行政書士
- ❂司法試験
- ❂弁理士
- ❂公務員試験(大卒程度・高卒者)
- ❂情報処理試験
- ❂介護福祉士
- ❂ケアマネジャー
- ❂電験三種　ほか

実務書・ビジネス書

- ❂会計実務、税法、税務、経理
- ❂総務、労務、人事
- ❂ビジネススキル、マナー、就職、自己啓発
- ❂資格取得者の開業法、仕事術、営業術

一般書・エンタメ書

- ❂ファッション
- ❂エッセイ、レシピ
- ❂スポーツ
- ❂旅行ガイド (おとな旅プレミアム/旅コン)

TAC出版では、独学用、およびスクール学習の副教材として、各種対策書籍を取り揃えています。学習の各段階に対応していますので、あなたのステップに応じて、合格に向けてご活用ください!

（刊行内容、発行月、装丁等は変更することがあります）

●2025年度版 税理士受験シリーズ

「税理士試験において長い実績を誇るTAC。このTACが長年培ってきた合格ノウハウを"TAC方式"としてまとめたのがこの「税理士受験シリーズ」です。近年の豊富なデータをもとに傾向を分析、科目ごとに最適な内容としているので、トレーニング演習に欠かせないアイテムです。」

簿記論

01	簿 記 論	個別計算問題集		（8月）
02	簿 記 論	総合計算問題集 基礎編		（9月）
03	簿 記 論	総合計算問題集 応用編		（11月）
04	簿 記 論	過去問題集		（12月）
	簿 記 論	完全無欠の総まとめ		（11月）

財務諸表論

05	財務諸表論	個別計算問題集		（8月）
06	財務諸表論	総合計算問題集 基礎編		（9月）
07	財務諸表論	総合計算問題集 応用編		（12月）
08	財務諸表論	理論問題集 基礎編		（9月）
09	財務諸表論	理論問題集 応用編		（12月）
10	財務諸表論	過去問題集		（12月）
33	財務諸表論	重要会計基準		（8月）
※	財務諸表論	重要会計基準 暗記音声		（8月）
	財務諸表論	完全無欠の総まとめ		（11月）

法人税法

11	法 人 税 法	個別計算問題集		（11月）
12	法 人 税 法	総合計算問題集 基礎編		（10月）
13	法 人 税 法	総合計算問題集 応用編		（12月）
14	法 人 税 法	過去問題集		（12月）
34	法 人 税 法	理論マスター		（8月）
※	法 人 税 法	理論マスター 暗記音声		（9月）
35	法 人 税 法	理論ドクター		（12月）
	法 人 税 法	完全無欠の総まとめ		（12月）

所得税法

15	所 得 税 法	個別計算問題集		（9月）
16	所 得 税 法	総合計算問題集 基礎編		（10月）
17	所 得 税 法	総合計算問題集 応用編		（12月）
18	所 得 税 法	過去問題集		（12月）
36	所 得 税 法	理論マスター		（8月）
※	所 得 税 法	理論マスター 暗記音声		（9月）
37	所 得 税 法	理論ドクター		（12月）

相続税法

19	相 続 税 法	個別計算問題集		（9月）
20	相 続 税 法	財産評価問題集		（9月）
21	相 続 税 法	総合計算問題集 基礎編		（9月）
22	相 続 税 法	総合計算問題集 応用編		（12月）
23	相 続 税 法	過去問題集		（12月）
38	相 続 税 法	理論マスター		（8月）
※	相 続 税 法	理論マスター 暗記音声		（9月）
39	相 続 税 法	理論ドクター		（12月）

酒税法

24	酒 税 法	計算問題+過去問題集		（2月）
40	酒 税 法	理論マスター		（8月）

書籍の正誤に関するご確認とお問合せについて

書籍の記載内容に誤りではないかと思われる箇所がございましたら、以下の手順にてご確認とお問合せをしてくださいますよう、お願い申し上げます。

なお、正誤のお問合せ以外の**書籍内容に関する解説および受験指導などは、一切行っておりません。**
そのようなお問合せにつきましては、お答えいたしかねますので、あらかじめご了承ください。

1 「Cyber Book Store」にて正誤表を確認する

TAC出版書籍販売サイト「Cyber Book Store」の
トップページ内「正誤表」コーナーにて、正誤表をご確認ください。

CYBER TAC出版書籍販売サイト
BOOK STORE

URL：https://bookstore.tac-school.co.jp/

2 1の正誤表がない、あるいは正誤表に該当箇所の記載がない
⇒ 下記①、②のどちらかの方法で文書にて問合せをする

★ご注意ください★

お電話でのお問合せは、お受けいたしません。
①、②のどちらの方法でも、お問合せの際には、「お名前」とともに、
「対象の書籍名（○級・第○回対策も含む）およびその版数（第○版・○○年度版など）」
「お問合せ該当箇所の頁数と行数」
「誤りと思われる記載」
「正しいとお考えになる記載とその根拠」
を明記してください。
なお、回答までに１週間前後を要する場合もございます。あらかじめご了承ください。

① ウェブページ「Cyber Book Store」内の「お問合せフォーム」より問合せをする

【お問合せフォームアドレス】

https://bookstore.tac-school.co.jp/inquiry/

② メールにより問合せをする

【メール宛先　TAC出版】

syuppan-h@tac-school.co.jp

※土日祝日はお問合せ対応をおこなっておりません。
※正誤のお問合せ対応は、該当書籍の改訂版刊行月末日までといたします。

乱丁・落丁による交換は、該当書籍の改訂版刊行月末日までといたします。なお、書籍の在庫状況等により、お受けできない場合もございます。
また、各種本試験の実施の延期、中止を理由とした本書の返品はお受けいたしません。返金もいたしかねますので、あらかじめご了承くださいますようお願い申し上げます。

（2022年7月現在）